聞き書き 南相馬

渡辺一枝

Watanabe Ichie

新日本出版社

目次

プロローグ

２０１１年3月１１日、これまでに体験したことのなかった激震と、その後に起きた東京電力福島第一原子力発電所の事故で文字通り体ごと激しく揺さぶられた私は、その年の8月から福島に通い始めた。被災地でボランティアをしたいと思って通い始めた福島だった。

そこで何が起きたのか、そこで人はどう生きているのか知りたかった。親戚もなく友人も居ない、所縁（ゆかり）のない福島のどこへ行けば良いか、また決して若くはない私に出来ることがあるのか、いやそれよりも迷惑になるのではないかと思いあぐねていた。ところが7月に岩手県に行く用事が生じた。岩手に行くのだからそれならと、遠野まごころネットに登録してボランティアに加わった。海べりで津波を被った家のがれきを片付ける作業だった。被災地では私にも出来ることがあると知った。同じ月に長野で開かれた集会【脱原発ナガノ・２０１１フォーラム「3・11フクシマ」から「脱原発」へ！】で、私は登壇者の一人として参加した。その集会で別の登壇者が使った画像の中に「南相馬（みなみそうま）ビジネスホテル六角（ろっかく）」という写真があった。それを見て、福島に行くなら南相馬のこのホテルに宿をとって、南相馬のボランティアセンターに登録すれば良いのだと思い、長野から帰宅後に直ぐに手続きをしたのだった。

そうして南相馬市のビジネスホテル六角を拠点にして、福島に通うようになった。フクシマと書かれるようになった福島に通うようになって、私はヒロシマを、オキナワを、〝我が事〟としてきたかと自分に問うている。かつて広島をヒロシマと、そして長崎をナガサキと呼ぶようになった時に、そこに育たなかった私も、そこを〝故郷〟にすべきだったのではないか？　沖縄をオキナワと呼ぶようになっても、まだ私は気付かなかった。被爆地の問題として、あるいは米軍基地の問題としてしか、ヒロシマをナガサキをオキナワを捉えていなかったのではないか？　福島へ通ううちにそこに住む人たちから話を聞くようになり、そうした思いは一層強くなっている。

南相馬市は福島県の浜通りの北部で太平洋に面し、いわき市と宮城県仙台市のほぼ中間に位置している。２００６年に小高（おだか）町、鹿島（かしま）町、原町（はらまち）市の２町１市が合併して、小高区、鹿島区、原町区として誕生した市だ。その南端は福島原発から１０キロで、小高区は２０キロ圏内となる。北部の鹿島区は３０キロ圏外だが、市庁舎などのある中心の原町区は３０キロ圏内にある。

初めて訪ねた日、福島駅から路線バスで南相馬へ向かう途中の伊達（だて）市や相馬（そうま）市では、田には青い稲穂が揺れていた。南相馬市に入り鹿島区を過ぎると、畑地はどこも荒れ放題で草が生い茂っていた。予約した宿は、南相馬市原町区大甕（おおみか）のビジネスホテル六角だ。ホテルに着いて主人の大留隆雄（おおとめたかお）さん（72）に尋ねると、案の定、半径３０キロ以内は耕作が禁じられているからだった。その日、大留さんに市内を案内してもらったのだが、海岸線から３～４キロも入った辺りの荒れた畑地のそこここに、津波で打ち上げられた船がゴロゴロと転がっていた。船主が不明なので片付けられないということだが、草ぼうぼうの畑地に転がる船を見て、理由はそれだけなのだろうかと訝（いぶか）しくも思った。畑の草取りさえ禁じられていることと関連もあるのではないかと思った。ひと月前に行った釜石や陸前高田では、それらの大方は片付けられていたからだ。そこではがれき撤去に際して、放射線量は問われてはいなかった。

ビジネスホテル六角は、そこから１５０メートルばかり先には、原発から半径２０キロの警戒区域への立入りを監視する検問所が立つ場所に在った。ここに降り立った２０１１年８月以来、毎月通い続けるようになったが、当初はこれほど足繁く通うことになるとは思っていなかった。

ここで聞かせてもらった話は、どれもが重い。けれども実のところ、私にはご本人たちの胸の痛みを真に理解することはできず、想像することしかできない。ならばせめて、この一人一人の物語を、忘れずに胸に留めておこうと思う。それは未曾有の災害と原発事故を挟む個人史ではあるけれど、かつてそこで営まれていた人々の暮らしを伝えるものだった。それらを聞いて私は、この地に流れた歴史をさらに知りたくなっている。そこから日本が見えてくる気がするのだ。

この本のタイトルを「聞き書き」としたのは、一人ひとりの生の声・思いをそのまま受け止めたかったからである。その中で「3・11」以後、一人ひとりがどのように思い、その思いは揺らぎ、揺らぎながら生き続けてきたかを、「南相馬」を定点にして書き綴ったのが本書である。

第1章

２０１１年

私の南相馬行での宿は、いつもビジネスホテル六角だ。このホテルに拠点を置く《原発事故から命と環境を守る会》の人たちが、仮設住宅や借り上げ住宅に住む被災者に支援物資を配る時に、何度か同行させてもらった。この会は現地の民間ボランティアだった。

初めてホテル六角を訪ねた２０１１年の８月は、ホテルに着くとすぐに物資の仕分けと配達に同行した。その日はパラグアイの日系人から送られた大豆を岐阜の業者が加工した「パラグアイの豆腐」と、長野県の有機栽培農家からの野菜、ルーテル協会からの支援物資を届けに行った。どちらも定期的に届けられている支援物資だ。仮設住宅は福島第一原発から３０キロ圏外の鹿島区に建てられていた。原発事故後の南相馬には、若者や子供の姿がとても少なく、仮設住宅に住む人のほとんどは、お年寄りだった。一家離散している被災者が多いのだ。被災前には３世代で暮らしていた７６歳になる田中さん一家は、息子は働き口を求めて横浜に行き、その妻と小学生の孫は伊達市に移り、仙台の高校に通っている孫娘は中学生の妹の面倒を見なながら下宿先の仙台に二人で住んでいる。南相馬に残った田中さん夫妻は仮設住宅で暮らしている。一緒に暮らしていた3世代家族が、4ヵ所に離散している。

仮設住宅に着くと私たちは、「支援物資ですよ。お豆腐と野菜を届けにきました」と触れながら各戸に配って歩いた。玄関口に出てきた田中さんは豆腐や野菜の入った袋を受け取りながら、「ありがとう。いつも助かります。私らはもう、生きてるうちには家に戻れんでしょう」と言った。田中さんの家は、原発から11キロほどの小高区にある。地震の被害もなく津波も受けずに家はそのまま残っているが、警戒区域内なのでそこには住めない。この仮設住宅に入居して初めて支援物資の野菜を受け取った時に田中さんは、「今まで大根も人参も小松菜も、買ったことはなかった。みんな自分のとこで作ってた。自分で作った野菜が食べられないなんて……」と泣いたという。

《原発事故から命と環境を守る会》のメンバーである鈴木時子さん（63）は、多くの人と同様に3月14日に一時避難して今は戻って20キロ圏外の自宅で暮らしているが、これは鈴木さんの避難行の時の話だ。

脳梗塞でやや歩行が困難になった夫とペットの犬を車に乗せて、息子の住む埼玉へ向かった。乗って直ぐに判ったが、ガソリンが足りない。どこかで入れたくても、ガソリンスタンドはどこも閉まっていた。ようやく那須（なす）まで辿り着いてサービスエリアで休んだとき、福島ナンバーの他車のボディーに釘のようなもので「死ね」と落書きされているのを見た。それを見て怖くて車の側を離れられずに居ると、後から来た人が鈴木さんの車のナンバープレートを見て「どこから?」と聞いてきた。南相馬からと答えると、その人は双葉(ふたば)町からの人で「私たちの町の原発のせいで、苦労をさせて申し訳ない」と泣き出し、共に抱き合って泣いた。それから那須を出てその先でようやくガソリンを少し入れることができ、埼玉まで辿り着いた。息子の家に着いてからも、福島ナンバーを見て息子の家族が嫌がらせや差別を受けることがあってはいけないと思うと、駐車する場所にも細心の注意を払い、ナンバーが見えにくい場所を探したという。

鈴木さんはそれしか言わなかったけれど、それは被災した弱者が受けた、いわれなき差別を体感した人の声だった。

小迫秀晴(こさくひではる)さん(67)は海苔や海産物の乾物を扱う店の主だ。原発事故の後で一時は市外に避難したが、その後戻って店を再開した。幸い建物は地震の被害もなかったので、戻ってすぐに再開できた。小迫さんを訪ねたのは11月の末だったが、訪ねた時は店の人が傍らで、注文を受けた香典返しの海苔の包みを作っている最中だった。

「商売を始めて40年になるが、税金を払うのがこんなに悲しいことはないよ。ようやくみんな、こうして葬式も出せるようになったけど参列者も少ないよ。葬式も家族で1回きりになった家が多い。津波で家族全員が一度に亡くなったからね。本当の話、どこかへ行けるなら行きたいよ。みんなそう思ってるよ。みんなピリピリして暮らしてる。〝復興だ、絆だ〟なんて言うけど、みんなバラバラだよ」。

そう言いながらお茶をいれてくれた小廹さんは、「飲用の水は買っている。水道の水は怖くて飲めないよ。商品の海産物も地元のは使えなくなった」と言った。店の駐車場で線量計を出して測ると、1・2マイクロシーベルトを示した。通りには歯の抜けたように閉まったままの店もあり、小廹さんの「ピリピリ」「バラバラ」の声が耳の奥でいつまでも響いていた。

原町の雫（しどけ）地区の区長だった高田一男さん（64）は、洋服の縫製工場を経営していた。雫地区は海寄りに位置しているが、工場はそこから内陸に寄ったところで、家からは車で数分だ。地震が起きた時、高田さんは所用で出掛けた先から戻るところだった。まず家に寄ってみると、妻も無事で、棚から落ちたものなどの片付けをしていた。「大丈夫か？」と声を掛けると「大丈夫、落ちたもの片付けてるの」と言うので、安心して工場に戻ると、従業員も建物も無事だった。今後のことを打ち合わせていると、津波で雫の方が大変なことになっていると知らせてくれる声がした。家に急いだが、ついさっきまで在った家はなくなっていた。すぐに避難所に行ってみたが妻の姿はなかった。地区の人に行方不明者を確認するよう伝え、別の避難所に行ってみた。そこにも妻の姿はなかった。

高田さんは毎日昼には家に戻って昼ご飯を食べるのが常だった。その日も昼に戻った時には妻の友人が居て、一緒に昼ご飯を食べた。それが妻と摂った最後の食事となった。

区長をしている高田さんは、地区の人たちの安否確認や世話に追われ、自分の家族を捜せるのは、早朝のわずかな時間だった。自宅の瓦礫をかき分けたが、見つけたのはゴルフバッグとアルバムだけだった。工場の中国人従業員たちには、原発事故を受けて本国からの帰国命令が出ていた。彼らを車に乗せて福島駅まで送り、彼らはそこから新潟経由で中国へ帰って行った。それからまた、市内の避難所に居た地区の人たちを草津の避難所に送ったり忙しい毎日だった。行方不明だった消防士の息子の遺体は3月25日に見つかったが、妻は今も行方不明のままだ。「奥さんと最後に交わした言葉を覚えていますか?」と尋ねると、一瞬詰まって「最後って……。大丈夫か?　と聞いたら、大丈夫と返事があっただけで……」後は無言の高田さんだった。

田村さん（82）の家からは、広々と太平洋が見える。これは以前には考えられなかった景色だ。かつてこの庭先から見えたのは、畑と住宅と木立、それらがずっと続いていた。その向こうの海はここからはチラとも見えなかった。それが今では、風のある日には白波さえも見える。田村さんの家は畑地からほんの1メートルほど上がった所に建ち、畑と敷地の境には細い水路が裏の畑や住宅の方へ続いている。3月11日の津波はこの水路を駆け上った。目の前の住宅も裏の住宅も全て流され、辺りには田村さんの家の他数軒しか残っていない。

「地震が来た時はこの柱に掴まってたの。この人は」と夫を指して言い、「私は庭に居たけど立ってられなくて、しゃがみ込んでたのさ。で津波が来るっていって、高台の社(やしろ)に逃げて助かったの。でもはぁ、近所の人たちはみんな、逃げ遅れて死んでしまった。家も人もみんな無くなってしまって、今じゃお隣がアメリカになってしまった。淋しいよぉ。でも、私らは行くとこ無いもんね」。

確かにお隣は海の向こうのアメリカだけど、田村さんは冗談で言っているのではない。86歳と82歳の老いた身には、あまりにも寂寥(せきりょう)感に満ちたこの風景だ。田村さんの家から海の方へ行くと、あれから8ヵ月経って家や車や他の瓦礫は片付けられたのに、流されてきた墓石は道のそこかしこに残ったままだ。

消防士だった田村さん夫婦の一人息子は、流された人の捜索に関わっていた。震災から2ヵ月経った5月頃から毎晩うなされて、夜中に大きな声を出しては、その自分の声で飛び起きていた。夏になって「ここに居ると、怖くてしょうがない。毎晩夢を見るんだ。俺は、海が無い所で暮らしたい」と言って、群馬県へ越して行ったそうだ。縁に恵まれず、独り身だという。原畑（はらはた）の仮設住宅で催したイベントの時に、居合わせたおばあちゃんから聞いた話を思い出す。

おばあちゃんの家は萱浜にあった。そこは幅2メートルほどの堀が海まで続いていた。津波が来るというのでおばあちゃんは高台の避難所に逃げて助かったが、家族は避難所に居なかった。波が引いて危険が去ってから、家族を探しに自宅のあった方へ行ってみた。堀には遺体が「泥鰌（どじょう）みてぇに重なって、泥の中でごちゃごちゃに重なって、酷いもんだな」。おばあちゃんの家族は、後に別の所で遺体で見つかったが、ここでは多くが亡くなり、行方不明の人もいるという。その後の捜索では掘っても掘っても、元の畑の土ではなく海の土が出てきたという。

警戒区域の小高区から避難所を8ヵ所転々とした後で、6月半ばから仮設住宅で暮らす79歳の佐々木さんは、「毎日泣いて暮らしてるよ」と言って、言いながらも涙を拭った。

貧乏な農家の10人きょうだいの長男だった。家は弟に継がせてやろうと思って大工になり、結婚してから東京に出た。東京はオリンピック（1964年東京オリンピック）で建設ブームだった。ある程度資金も貯まったので、故郷に帰って家を建てた。子供にも恵まれて順調な生活だったが、さほど豊かではなかったので、大学に行きたがった長男を、行かせてやれなかった。

子供たちもそれぞれ結婚して孫も生まれ、また夫婦2人の暮らしになった頃、妻が足を悪くして杖無しでは歩けなくなり、やがて目も悪くなって包丁を持つのが危なくなり、家事も佐々木さんの仕事になった。

高校を出てから福島原発で働いていた長男は、孫が中学に入る前に大腸癌で死んでしまった。率直で気だての良い自慢の息子だった。大学に行かせてやってたら、東電なんかに勤めさせなくても良かったのにと、悔やんでも悔やみきれない。息子の死は、絶対に放射能の影響だと思う。それからは毎日家で線香を上げて仏壇の前で祈り、月命日はいつも墓参りをしてきた。けれど、もうじき十三回忌なのに、墓所は警戒区域になってしまったので墓参りもできない。

つい2ヵ月前に長女の夫が心臓発作で倒れ、頭を打って救急車で運ばれ、半身が不随になってしまった。長女も働いて生計を立ててはいるが、やはり長女一家の生活も支えてやらなければならない。だから長女一家が住む別の仮設に通って、家事を手伝ってやっている。

だが、そういう佐々木さん自身も大工時代にアスベストを吸っていて肺が悪く、おまけに避難所にいた5月に、前立腺癌の手術を受け今も毎月病院に行く。東電が寄越した分厚い書類には補償金を出すのに診断書や通院証明書が必要とあるが、証明書を貰うにもお金が必要なのだ。

佐々木さんは絞り出すような声で言った。「東電が、憎いよ。原発が憎いよ。あのまま小高の家で暮らせていたら、婿だって発作を起こしたりしなかったろう。原発が無けりゃ、息子を死なすことだってなかったろう」。

仮設住宅の集会所で、鈴木とよ子さん（83）は着ていたベストのポケットに手を入れると、穴にリボンを通した五円玉を取り出して言った。「体一つで避難して何にもなかった時に、支援物資で頂いた服のこのポケットに、リボンを結んだ五円玉が安全ピンで留めてあったの。〝あれ？　何だべ〟と思ってもう一つのポケット探ったら、ほれ、これが入ってたのよ」と、今度は小さな巾着袋（きんちゃくぶくろ）を出してみせた。巾着袋の中には大豆が3粒入っていた。とよ子さんは「どこのどなたか知らない方からの支援だったけれど〝ご縁がありますように〟〝マメに暮らすように〟って言って下さってると思って、本当に嬉しかった。有難くって、今でも涙が出てくるよ。だから洗濯する時にはポケットから出して、乾くとまたポケットに入れて、いつでも身につけてるんだ」。20キロ圏内の小浜（こばま）にあった家は津波に遭い、何もかもが流されて、「犬に投げつける土もない」とよ子さんを、五円玉と3粒の大豆が日々励まし続けている。

とよ子さんは生まれも育ちも福島だが、敗戦の年の9月、東京の池袋に叔父を訪ねたことがある。女学生のとよ子さんは護国寺の高台から焼け野原にバラックが建つ東京を眺めた。すっかり忘れていた光景だったが、津波の後の光景に66年前のことがまざまざと蘇った。「東京は空襲受けても放射能は残らなかったけど、津波は放射能を置いてってしまったな。仮設にいつまでいられるのか判らないが、もうどこに行っても借り物の暮らしみたいだな」。もしかしたら今のとよ子さんにとって借り物でないのは、ポケットの五円玉と巾着袋に入った3粒の大豆だけかもしれない。

東京は高層ビルの建ち並ぶ大都市になったけれど、福島にはどんな未来があるだろう？　いや、福島にせよ東京にせよ、50基もの原発を抱えている日本そのものが、砂上の楼閣ではないだろうか？　不安を抱えた日々で私たちは〝暮らし〟の実感が持てるだろうか？

第2章

あれから1年が過ぎて

南相馬市原町区片倉（かたくら）の酪農家の杉和昌（かずまさ）さん（50）は、お父さんが１９６０年に始めた仕事を継いでいる。訪ねた時には和昌さんはちょうど搾乳をしていたが、畜舎はよく管理されていて牛たちの足元の敷き藁も乾いていた。背後が山のこの辺りは線量の高い地域だが、管理がよほどしっかりしているのだろう、乳は出荷されている。

原発事故後に政府は２０キロ圏内に避難指示を、３０キロ圏内に屋内退避指示を出したが、和昌さんの家は２０キロ圏から１００メートルほど外に在る。一家は3月１６日まで自宅に留まったが、高1、中3、小5の子供たちの健康を案じて、とりあえず新潟に避難した。畜舎に親牛３４頭、子牛１７頭を残したままだった。妻子が住む場所を見つけて、和昌さんと両親は１９日に家に戻った。生まれた時から牛と共に育っていた和昌さんは、新たな仕事を探すことにためらいもあったし、また、ずっと百姓一筋で来た両親が避難先で暮らせるとは思えなかった。「原発に負けてもいられねぇし、とりあえず1年踏ん張ってみようと腹を括って」戻った。

出る時には充分餌を与えて出たし、水は山からの自然水を引いていたが、３日間の留守の間に牛たちはやせ細り、市内の獣医も避難して居なくなっていた。そこで、子牛は他県の酪農家に譲り、孕(はら)み牛1頭だけを残して、残りの親牛は肉牛として出荷した。親の後を継いだ酪農業だが、先も見えないままでの、また1頭からの再出発だった。その後、休業した仲間から孕み牛を譲ってもらったり預かったりもして牛たちも増えてきた。今は子牛を含めて３０頭を飼い、１５頭から搾乳している。当初は北海道や海外から飼料や畜舎に敷く藁(わら)の支援もあったが、今は飼料は買っている。

「酪農というのは稲藁を敷き藁にし、牧草を育てて餌にし、牛糞で堆肥を作り畑に使うというような自然循環型の暮らしなんです。それができなくなっちまったし、これまで一緒にやってきた家内は避難先にいるので、とても手が足りない状態です。今は出荷できてるけど、（放射性セシウムの）基準値が厳しくなればこの先は判らない。子供たちがここに戻って来られるようになるかどうかも判らないし……」。

１年踏ん張れたが、２年目の今は大きな不安を抱えている和昌さんだ。家族は分断され、不安を抱えたままでの暮しはいつまで続くのだろう。今は出荷できているが、今後も大丈夫だろうか？　ここでの暮らしを続けていけるだろうか？

原町区萱浜の集落はほとんどの家が津波で消えたが、裏の杉木立が幸いして辛くも1階は半壊したものの2階部分は残った家が一軒ある。そこでは、小学生と幼稚園児、祖父母の一家4人が津波に流され、仕事に出ていた父親と母親だけが無事だったという。まだ歳若いであろう、残された父親の胸中を思った。秋の彼岸の頃には、家の前に設えた祭壇に花や供物が飾られていた。祭壇の前で、私も手を合わせた。年が明けて、うっすらと雪が降った日には、人待ち顔に思える家に手を合わせて過ぎた。

被災から1年後の春には、その家の前庭に鯉のぼりが高く泳いでいた。この春は雨の日が多く、久しぶりの青い空に、鯉のぼりは風を孕んで泳いでいた。彼岸の頃の祭壇にも、そしてこの日の鯉のぼりにも、私は残された父親の〝生きる意志〟のみを思っていたのだが、とんでもない思い違いのようだった。同行の現地ボランティア、荒川陽子さん（62）から聞いた話だ。

残された父親の上野敬幸さんと荒川さんの息子は高校時代の同級生だ。家族を亡くした上野さんを気遣って、同級生たちは会って話を聞き、力づけたりもしていたのだが、今では上野さんはすっかり人が変わってしまって同級生たちとも顔を合わせないという。上野さんは今も不明の子が生きていると思い込んでいて、毎日探し歩いているというのだ。勤めも辞めて着の身着のままで、風呂にも入らぬ汚れた姿で彷徨っているのだと噂されていた。

だが、もしその上野さんを精神に異常をきたしたというのなら、鯉のぼりをどう考えたらいいのだろう。上野さんの中では、幼い息子が生きていて欲しいからこその鯉のぼりなのだ。上野さんにとっては会えない者たちを探し出せない現実こそ、異常なのではないか？

上野さんの鯉のぼりを見た翌日の４月１６日の未明に、２０キロ圏内警戒区域が解除になった。その日私は、検問所のゲートが解かれた小高区に入った。１年前の３月１２日、原発事故の後で小高区は警戒区域となり、避難指示が出された。これによって２０キロ圏内は人の立ち入りはできなくなり、行方不明者の捜索も打ち切られた。

１年経って警戒区域が解除された小高区に入ってみると、集落があった辺りはすっかり海になり、そこには乗用車や消防車、農業用のトラクターがゴロゴロと転がっていた。津波から１年以上も経っての、この光景こそが異常ではないだろうか？　原発事故さえ無かったら、助けられた命もあっただろうし行方不明者の数ももっと少なかったろう。

祭りは復活したけれど……

７月２８日から３日間、「相馬野馬追（そうまのまおい）」が行われた。初めて南相馬を訪ねたのは、２０１１年のこの祭事が終わった後だった。１１年は震災と原発事故で開催が危ぶまれながらも、亡くなった方たちへの鎮魂と復興への願いをかけて規模を小さくして行われたという。それを聞かせてくれた人たちの口調が、ずっと耳に残っていた。津波によって人も、道具も、騎馬の練習をした浜も流されてしまった喪失感と、それでも小規模ながら行った誇りと、小規模でしかできなかった無念さと、それらが入り交じった口調だった。その後も何度か南相馬へ通う中で、この伝統の祭事のことを幾度か耳にした。「３・11」の翌年も開催されるなら、ぜひ見たいと思っていた。年が明けて１２年の開催を知り、その日を待ち望んでいた。

この祭事の由来を尋ねると、１０００年以上昔にさかのぼる。相馬家の始祖、平小次郎将門（たいらのこじろうまさかど）が相馬御厨（みくりや）の官職だった頃に、下総国葛飾郡（しもうさのくにかつしかごおり）小金ヶ原（こがねがはら）（現在の千葉県流山市付近）の牧に敵兵に見立てた野生馬を放ち、軍事訓練として自軍の兵に捕らえさせ、捕らえた馬を神前に奉じて妙見の祭礼としたことが始まりだと言われている。その後、１３２３年に相馬氏が南相馬に移り住んでから歴代当主が、自領の安寧と豊穣を願っての神事として明治維新まで連綿と続けてきたという。廃藩置県により相馬藩は中村県になり野馬追は一時消滅したが、１８７８年に太田神社が再興して、現在の祭事の形になった。

７月２８日、朝７時過ぎに騎馬武者として出陣する村上和雄さん（62）を南相馬市大原の自宅に訪ねた。大原は南相馬市でも放射線量が高く、中でも村上さんの家の辺りはホットスポットで帰宅困難区域だ。村上さんは市内の借り上げ住宅で避難生活を送っているが、この日のために数日前から自宅に戻っていた。山形県に避難している息子の光一さんと父子２代での出陣で、和雄さんはこれまでに三十数回の出場、光一さんも既に２０回以上になるそうだ。被災前には、小学生だった孫も一緒に３代で出たこともあったという。

馬に衣装を着け、村上さん父子も陣羽織姿に着替えて集合地へ向かった。父子は、まずこの地区の騎馬武者の集合地点で、幔幕の前に腰を下ろしている副軍師の前に進んだ。「某は中ノ郷大原の中頭、村上光一。本日のご出陣、誠におめでとうございます。出陣の折であれば、馬上にての挨拶失礼いたします」などと馬にまたがったまま口上を述べ、軍者の和雄さんも他の武者たちもそれぞれ挨拶をし終えると、全員騎馬で太田神社に向かった。

太田神社での参拝と祝杯の後に大将が出陣の命を出し軍者の振旗を合図に法螺貝が響き渡り、揃って雲雀ヶ原の祭場地へ向かった。その数188騎。小高神社からは小高郷、標葉郷の、中村神社からは北郷、宇多郷の武者たちが出陣し、総勢404騎が雲雀ヶ原の本陣へ集まり出陣式を行った。

翌29日、中ノ郷を先頭に行列して再び本陣に集まった武者たちの衣装は、誰もが前日と違って筒袖に野袴、それに甲冑を着けている。武者たちの背には、家紋の旗指物が翻っていた。纏や陣太鼓、槍、鉄砲隊など徒の者たちも多数従っていた。照りつける夏の日差しの下で、馬の腹からも汗が滴り落ちていた。

午後はいよいよ甲冑競馬と神旗争奪戦だ。背中に旗指物を着けた白鉢巻きの武者が疾走する競馬も、打ち上げ花火で空高く上って舞い降りる旗を騎馬武者が争い奪うのも、まさしく戦国の合戦絵巻さながらの迫力だった。光一さんは旗を捕り、祭場地の小高い場所にある本陣地まで坂を駆け上り、総大将から褒美の品を受けた。

30日は小高神社での野馬懸だった。騎馬武者十数騎が裸馬を小高神社境内の竹矢来の中に追い込み、白鉢巻きに白装束の御小人と呼ばれる者たちが、思し召しに適う荒馬を素手で捕らえ神前に奉納する。もともと御小人は藩主の身近に仕えた武芸にすぐれた者たちだったという。奉じられた馬は神馬として大事にされたそうだ。これが本来の野馬追の名残をとどめる神事だ。前日の甲冑競馬や神旗争奪戦などの合戦は、明治時代以降に生み出された祭事だという。それを知って軍事国家へと急ぐ日本の近代国家への道筋を見た気がした。

村上さんは、野馬追がこうして震災前同様に復活したことを喜びながら、「だけど、大原の家には戻れないな。あそこでは家族8人が一緒に暮らしてた。今は3ヵ所に分かれて暮らしてるよ。一番悔しいのはそれだな。家族も近所の人も、みんなバラバラになってしまった。大原では毎朝出勤前に馬に餌をやってたんだが、馬も手放した。市内のアパートじゃ、飼えないからなぁ。今年は栃木県の牧場から馬を借りて出たんだ。野馬追は、自宅から出陣するのが本当なんだがな」。除染もされていないし、地区での除染廃棄物の仮置場も決まらなければ除染に手が付けられないという。祭りは復活しても、故郷を奪われた暮らしがあった。

「仮設病」

仮設住宅に住む人たちの多くは、仮設入居の前に何ヵ所かの避難所生活を体験している。例えば津波で家を失い最寄りの避難所に入ったが、原発事故後に原発から半径30キロ圏内の屋内退避指示が出されると、当初の避難所から30キロ圏外の学校を利用して設けられた避難所に移り、春休みが終わって学校が再開されるからと、また更に別の避難所に移動することになったりしたからだ。30キロ圏外の鹿島区には仮設住宅も次々と建てられたが、入居は75歳以上の高齢者が優先された。本来が住居ではない体育館などでの避難生活は、お年寄りにはいっそう困難だろうとの配慮からだ。だからごく早い時期に出来た仮設住宅と後から建てられた仮設とでは住民の年齢層が違っている。その後に建てられた小池長沼応急仮設住宅には子供の姿も見られるが、他では子供の姿はほとんど見られない。

入居条件として、原発から半径20キロ圏内で津波で家を流された75歳以上の人ということが優先された小池第三応急仮設住宅には、98歳を最高齢に、95歳、93歳、92歳の方々も含めて８０歳以上の人が多く、５３歳の蒔田利浩（まきたとしひろ）さんはここでは一番若い。蒔田さんはお母さんのフサコさん（79）とこの仮設に住み、市から委託されて集会所の管理人をしている。他の仮設集会所の管理は、委託された業者がやっているところが多く、このように仮設の住人がやっているような例は少ない。蒔田さんは原町区小浜にあった家を津波で流され、奥さんを亡くされている。ここの仮設住宅で、集会所の管理を蒔田さんがやっていることの意味は大きい。委託業者にはない視線が、蒔田さんにはあるのだろう。蒔田さんは入居者の日常に細やかに目を配り、相談にも乗り、入居者もまた息子のような年齢の蒔田さんを頼りにしてもいる。

その日私は、仮設暮らしのお年寄りが今必要としているのは何かということを知りたくて、蒔田さんから話を聞くためにこの仮設住宅を訪ねた。

集会所で蒔田さんと話していると、住民の板倉さん（78）がふらりと立ち寄った。何という用事がなくても、ここでのしばしのお喋（しゃべ）りが息抜きになっているようだ。板倉さんは奥さんと二人でこの小池第三応急仮設住宅に２０１１年の６月初めから住んでいるが、息子たちは別の仮設にいるという。

板倉さんの家は小高区の村上にあったが、そこにあった約８０戸の家のほとんどが津波で流されたという。村上では70人くらいが亡くなったそうだ。「津波が昼でよかった。夜だったらもっと多くが死んでたよ」と板倉さんは言った。そんな言葉を被災から1年半経って初めて聞いたが、それだけの時間が流れたから言える言葉だったのかもしれない。村上では多くは農家だったが、請戸(うけど)漁港から船を出す漁師も4軒あったそうだ。請戸は浪江町にあり、そこはまだ許可なくして立ち入りは出来ない。小高区は2012年4月16日に警戒区域解除になりいつでも入れるが、家が流されなかった人たちも戻って住むことはまだ出来ない。一部の地域に電気は通じるようになったが上下水道がまだ繋がらず、除染も手付かずだからだ。除染廃棄物の仮置場も決まらない状況なので、除染のしようもないのだ。

そんな話の後で蒔田さんが「奥さんはなにしてるの？　留守？」と訊ねると、「部屋に居るんだ。めまいしてるって」と板倉さんは言う。めまいは今日だけなのかと聞くと「いやぁ、いっつもだ。夜眠れねえからな。何しろ狭いっぺ。隣の家のおならの音まで聞こえっからな」。だから板倉さんの奥さんも睡眠薬を飲んでいる毎日だという。蒔田さんも「明け方の静かーな時に、他所の家のイビキの音で目が覚めたりするもんな」と続けた。薄い壁一枚隔てただけの密集環境だ。板倉さんはこんな生活からくる頭痛やめまい、不眠を「仮設病」と言ったが、それは端的にこの暮らしの困難さを言い表していると思った。蒔田さんは「そうだな、『仮設病』だな」と応えた。

「だけど、板倉さんは偉いよ。酒を止めたもんな。タバコとパチンコは止められないけど、ま、それは仕方ないな」と蒔田さんが言うと、板倉さんは照れたような笑みを見せた。以前は相当量を飲んでいたらしいが、今はぴたりと止めたという。仮設暮らしで酒量が増えた話はこれまで聞いていたけれど、断酒したと聞いて私も感心した。そして、それをさりげなく讃える蒔田さんの一言が、板倉さんの励みにもなっているのだろうと思った。

そんな話をしていると空のペットボトルやポリタンクを持って、夫婦連れがやって来た。ここだけではなく南相馬の各仮設の集会所の台所には浄水器が設置されていて、飲料水は自由に汲んで行っていいことになっている。蒔田さんは「水汲みに来たの？　お茶して行かない？」と夫婦に声をかけた。仮設に居る人たちに一番必要なのは、蒔田さんのような存在だろうと私には思えた。

第3章

宮ちゃんの海、ヨシさんの山

宮ちゃん（高橋宮子さん、75歳）は、原町区の道の駅のそばの仮設住宅に一人で住んでいる。宮ちゃんを初めて訪ねたのは、２０１１年もあと1ヵ月ほどで新しい年を迎える頃だった。訪ねる前に同行の現地ボランティアの鈴木さんや荒川さんから聞いていたのは、宮ちゃんは娘と孫娘を津波で亡くしたということだった。

こたつを置けばそれでいっぱいの仮設住宅の狭い部屋の隅に、仏壇代わりの三角棚が設えられていた。棚の上には、四つ切り大に伸ばした次女の美代子さんとその娘の麻美さんの写真が、それぞれ額に入れられて黒白二色のリボンをかけて飾られていた。写真の前には二人の戒名が記された位牌（いはい）が一つ、そして臙脂（えんじ）色の小菊を生けた花瓶と、お鈴（りん）、線香立て、小皿に盛ったいなり寿司が置かれていた。仏壇の前で手を合わせる私の背に「お寺さんが合同位牌にしてくれたからね」と、宮ちゃんの声がかかった。

お茶の用意をしようとした宮ちゃんを遮って鈴木さんが「宮ちゃんは座ってて。私がするから」と言うと、宮ちゃんは「あれまぁ、悪いねぇ。嫁御にお茶いれてもらうようなもんだわねぇ」と、おどけたように言った。明るい声で朗らかそうな宮ちゃんだが、夜は強い睡眠薬を飲まないと眠れないのだそうだ。「こんなババが残って、若いものが逝ってしまってはぁ」と、宮ちゃんはため息をついた。

年が明けてから、また宮ちゃんを訪ねた。その日もやはり仏壇には瑞々しい花が飾られ、供物のお菓子が盛られていた。正月に孫（美代子さんの息子）が来て泊まっていき、昨日帰っていったばかりだと言う。「『帰りたくない。ばあちゃんとこにいたい』って泣きながら帰ったよ。娘たちの一周忌の法要をお寺さんに頼んだから、孫にはその時には母と姉を亡くしたお前が喪主なんだぞと言ったら、判ったって言ってた」という。被災地では一周忌を迎える家が多く、お坊さんも3月のひと月だけでは依頼された法要をこなしきれず、去年（2011年）の11月からずっと法事が続いているという。宮ちゃんの家の法要は2月某日に15分間で執り行われるそうだ。しごく短い時間だが、宮ちゃんはそれでもその法事で気持にけじめを付けられると言う。「孫には、墓守はお前がしっかりするようにと話しておいたから、これで後はあの子がやっていってくれるだろ。私の役目は終わり。後は任せられる」。そう言って宮ちゃんは、軽やかな笑顔を見せた。

2月に訪ねた時には、亡くなった孫娘に成人式に着せようと用意していた着物を譲り渡していた人から、「娘さんのかたみになるだろうから」ときれいに洗った着物を返されたと言って、見せてくれた。

3月、環境科学者の関口鉄夫さんと南相馬へ同行した帰りのことだ。彼も何度も南相馬に通っているのだが、海辺のガレキ置き場を通りかかった時にこんなことを言った。「僕が朝ここに散歩に来ると、必ず見かけるおばあさんがいるんです。そのおばあさんはいつもあの木の辺りに座って、ただじっと海を見てるんです」。それはもしかすると宮ちゃんではないか、聞きながら私はそう思った。

次に南相馬に行ったのは、桜が咲く頃だった。散歩に出た朝、手押し車を押しながら海の方から仮設住宅の方へ行く人を見た。宮ちゃんだった。関口さんが言った〝毎朝海を見ているおばあさん〟は、やはり宮ちゃんに違いない。宮ちゃんは、どんな思いで海を見ているのだろう。

羽根田ヨシさん（82）は、原町区の自宅の近辺が計画的避難区域に指定され、去年の7月から30キロ圏外にある鹿島区の借り上げ住宅に住んでいる。共働きをしている息子夫婦と一緒だ。たまに孫も来て泊まっていく。腰が曲がってしまったので外出の時には手押し車を使うが、趣味の詩吟で声を出し、《原発事故から命と環境を守る会》が提供する畑で野菜を作っている。毎日畑に出ているし、日記や手紙も書いている。だから元気で記憶力もいいし、肌の艶もいい。

ヨシさんはカボチャ作りの名人で、かつて何度も品評会で賞をとっている。「私が作ってたのは九重栗（くじゅうくり）って品種で、カネコって会社の種を使ってたの。種をちり紙に包んで水でちょっと湿らせてビニールに入れて、腹巻きの間に入れてお腹で3日ばかり温めんのよ。4日目にそっと開いてみっと、ポチッとちっこい芽が出てんの。それを2粒ずつ植えるのよ」。ヨシさんの育てたそんなカボチャを食べてみたいなと思った。

ヨシさんは自宅の土地の6反歩ほどの雑木林の木を抜根（ばっこん）してはヒノキの苗木を植え、ヒノキ山に変えたという。それによっても表彰されている。「だけど放射能浴びてしまってなぁ。山も泣いてるわな。淋しいな」。ヨシさんの言葉が胸を打つ。

引き裂かれたコミュニティ

南相馬市の現地ボランティア、《原発事故から命と環境を守る会》は、誰が言うともなくいつの間にか「六角支援隊」と呼ばれるようになっていた。その六角支援隊の根本内利意（ねもとうちとしい）さん（65）に「友達の一人に寺の住職がいて、僕はそこの檀家じゃないんだけど、すごく気が合うのよ。今度紹介しますよ」と言われて、鹿島区にある勝縁寺（しょうえんじ）を訪ねた。ご住職の湯澤義秀（よしひで）さんが、奥様と一緒に迎えて下さった。

初対面の挨拶のあとで私が、つい今しがたまで仮設住宅で環境科学者の関口鉄夫さんの『わかりやすい放射能の話』という講演会と、それに合わせての移動喫茶を済ませてきたところだと言うと、湯澤さんは「放射能もだけど、津波で打ち上げられたヘドロが3、4センチの厚さになって、それが乾いて粉塵になって舞ったでしょう。長い時間をかけて海底に堆積したヘドロには、相当に有害物質が含まれているのじゃないかと思うけれど、政府も県も検査したのかしないのか。相馬では米も作ってるけど、新地（しんち）、相馬、原町と化学薬品工場が多いんだよね。

へドロの有害物質の被害も、とても心配だ」と言った。根本内さんは「そうだなぁ。津波が真っ黒い壁になって押し寄せてきたけど、あれは海の底をひっさらったヘドロだもんなぁ」と言う。その目で津波が押し寄せるさまを見た根本内さんの言葉は、とてもリアルだった。根本内さんは、原町区の萱浜に家が在り、彼の家は無事だったが、集落の多くの家は流された。そして3・11以後、彼はどこにも避難せずにそこに住み続けている。

湯澤さんは鹿島区で津波被害にあった地域は、津波災害区域に指定されたので、被災者は元の場所に家を建てる事はできないだろうと言う。「町場へ建てるよりほかないなぁ。放射線量が高い場所しか空いてないしなぁ。しかたないなぁ。こうなっちまったんだから、こうしていくよりないなぁ」と言いながら、傍らの紙袋を引き寄せた。「これ、今朝採ってきたの。ホンシメジ」と袋の中から根元に土がついた大きな株を取り出した。数日前には大きな松茸を採ったが、放射線量を測ったら1キロで720ベクレルあったと言う。今朝採ったホンシメジはこれから測ると言うが、相当な数値だろう。決して口に入れる事はできないのを承知しながら、「ホンシメジだぞ。うまかろう」と、本当に美味しそうに地の言葉で湯澤さんが言うと、根本内さんも「うまいどぉ。松茸なんてもんじゃなかろう」と応えた。春には山菜、秋には茸、海からの恵み、これらのことごとくが奪われた暮しがフクシマだ。

「一番辛かったのは、どんな事でしょう」と湯澤さんに聞いた。

「行方不明者の死亡認定がされるようになって、生活維持者が亡くなった場合は500万円、そのほかは250万円の災害弔慰金が出る事になってからだなぁ。仕事もなくなって収入がないから食べて行けない。遺体は見つかってないけど、葬式をしようかって相談が来るようになった。捜してやる事もできないで、死んだことにしてしまっていいだろうかって相談されるんだけど、それに答えられないいんだよ。ご家族が決める事ですってしか言えないいんだ。原発から30キロ圏内は東電から毎月1人10万円の精神的慰謝料が出るけど、圏外はそれがないでしょう。30キロ圏内外で、醜い争いが出てきてしまった。『いつまでも東電から金貰ってないで、働け』なんて言うようになったりね。それまでは被災者同士『大変だったね』なんて言いあってたのに」。

南相馬市の行方不明者は2012年5月時点で3名となっているが、実数はこれよりはるかに多い。家族が死亡届を出した時に、行方不明者は遺体のないままで死者に数えられるようになるためだ。湯澤さんは、「コミュニティが、ズタズタに引き裂かれた」と言った。30キロ圏内の原町区や小高区では、こうした問題は起きていないだろうとも言う。

震災から5ヵ月経った2011年8月の終わりの南相馬で、現地ボランティアの大留隆雄さんから「今一番忙しいのは墓石屋だよ」と聞いた事があった。私自身も、仮設住宅で暮らすお年寄りから「お彼岸の前に、お墓をちゃんと直しておきたい」と聞く事もあった。墓石が倒れたり、割れたり、流されてしまった墓を元のように直したいというばかりでなかった。墓所の土地ごと津波でさらわれて何も無くなってしまったので、別の土地で改めて墓を建てたいという言葉も聞いた。「墓」は、死者を葬ってある場所、墓石はその印だと思っていた私には、それは思いがけない言葉だった。

湯澤さんにそう言うと、「200年以上も昔に、富山から移り住んで、荒野を苦労して開墾して田畑を作って暮らしてきた、その先祖があるから自分たちがあるので、先祖を敬うからこそですよ。先祖供養の墓ですよ」と、答えが返った。歴史は、過ぎた時間ではなく、土地に刻まれた人の暮らしに流れている。こうした歴史を引き継いでのコミュニティが「ズタズタに引き裂かれてしまった」のが、鹿島区の現状の姿だった。

五感を研ぎ澄ませて聴く

私は、南相馬の仮設住宅に住むお年寄りの話を聞く時には、六角支援隊の鈴木時子さんや荒川陽子さんと一緒に行くことが多い。現地ボランティアグループの六角支援隊のメンバーは、自らが被災者でありながら支援活動をしているが、中でもこの二人は隊長の大留隆雄さんを支える二本柱的存在だ。

鈴木さんの家は内陸だったから津波の被害は受けずに済んだが、実家は石巻（いしのまき）なので、親戚や友人が被災し、亡くなった人もいる。荒川さんは小浜にあった自宅が津波で壊れ、市内の借り上げ住宅に、お連れ合いの登さんと住んでいる。小浜の家では息子夫婦と孫と3世代で暮らしていたのだが、放射能の影響を考えて嫁と孫は東京にアパートを借りて避難し、福島市内の会社に勤める息子は、普段は会社の寮で暮らし、週末には南相馬の両親の所か妻子のいる東京で過ごすという生活を、余儀なくされている。鈴木さんも荒川さんも舅（しゅうと）、姑（しゅうとめ）を自宅で最後まで看取った経験を持つので、お年寄りに対して細やかな気配りができる人たちだ。だから私は、この二人と行動を共にすることで、学ぶことがとても多い。また二人は仮設住宅のお年寄りと話す時には地元の言葉で話すので、お年寄りたちも遠慮も躊躇もなく話せるようだ。

小池第三仮設住宅集会所で蒔田フサコさん、鈴木とよ子さん、佐藤さんといずれも80歳以上の3人のおばあさんから話を聞いた時のことだ。蒔田さんが「津波の音が耳ん中で鳴って、眠れんのよ」と言うと、佐藤さんも「んだな。睡眠薬飲まないと眠れんな」と言った。それまでに話を聞いたすべての被災者が、睡眠薬や精神安定剤を日常的に使っていた。目の前で自分の家族や友人、知人が流されていくのを見てしまったら、あるいは、地震や津波の被害はなかったのに、突然そこには住めなくなって、狭い仮設住宅での暮らしに追い込まれたら、どんなに心に痛手を負うかは、想像に難くない。その日、蒔田さんたちからはもっとたくさんの話を聞かせて貰って、集会所を辞した。

帰り道に荒川さんは、「蒔田さんが言った津波の音って、私は気が付いてなかった。地震の後ですぐ避難所に行ったから、津波は見てないんだよね」と言った。2011年3月11日、荒川夫妻は自宅にいた。地震後に消防団が、津波の心配があるから避難するようにと廻っていた。荒川さん夫妻はそれを聞いて、避難所に避難した。津波が来るとは思わなかったが、みんなが避難するまで消防団の人はそうやって廻らなければならないのは気の毒だと思ったからだった。だから直ぐに戻れると思い、車には夫婦と孫と飼い犬を乗せただけで、何も持たずに家を出た。だが、そうして避難したことが幸いして家は波を被り壊れたけれど、荒川さん家族は助かった。

荒川さんは「一人一人みんな違う体験をして、それぞれに傷付いてんだけど、その人にしかその傷は判らないんだね」と言った。荒川さんのその言葉に私は、想像は、ともすれば自分の体験の範疇に留まりがちなものだと知り、話を聞くことの意味の深さと、五感を研ぎ澄ませて聴く大切さを思った。

荒川さんも、当初よりも量は減ったが睡眠薬がないと眠れない。親戚たちは実家だった小浜の家を再建して欲しいと言うが、そこにはもう住めないだろう。まだ若い息子たち家族は放射能の影響が少ない土地へ移転した方がいいと思うが、自分たち夫婦には新しい土地で生き直す気力は湧かない。以前のように3世代で暮らすことは難しいだろうし、自分たちと息子たちそれぞれの家を建てる資金は捻出できないだろう。どうすればいいのか……。

荒川さんから聞いて、強く印象に残っている話がある。

3・11以前、荒川さんの家の前の浜にホームレスの男性が住み着いていた。彼は器用な人で、廃材などを使って小屋を作り、拾ってきたガス台にプロパンガスのボンベを繋げて煮炊きもしていたし、廃品のユニットバスと流木の焚き付けで、風呂もあったそうだ。水は雨水を貯めて使っていたという。廃品回収で日銭を稼ぎ、目の前が海なので、魚や貝、海藻などを採って料理していたそうだ。魚がたくさん釣れると、荒川さんの家に届けてくれることもあったという。また郵便物などは荒川さんの住所を書いて「その前の某」という宛名で、彼の小屋に届いたらしい。

2011年3月11日、津波が引いた時のことだ。荒川さんの家のずっと裏手の家の人が、どこからか「助けてくれぇ」と声がするのに気付いて探すと、家の納屋の屋根の上にその男性が、津波に流されてきてちょこんと乗っていたそうだ。

それから何週間か後のことだが、荒川さんは道で見知らぬ男に挨拶をされた。咄嗟(とっさ)には判らなかったが、あのホームレスの男性だったという。彼が行った避難所は温泉施設だったそうで、すっかり垢も落ちて白くなり、救援物資で貰った服を着て身ぎれいだったので、まったく別人のようだったという。

辛い話を聞くことが多い中で、ホッと笑いを誘われる話だった。

また3月が巡り来る

また3月が巡り来る。メディアはきっと、周年の記事や番組を組むことだろう。そして被災地から遠い私たちは、それによって被災地への思いを巡らすのだろう。だが、被災地の人たちはどうか。

2012年3月11日、私は南相馬にいた。その日はいつも泊まるビジネスホテル六角ではなく、借り上げ住宅に住む荒川さんの家に泊めて頂いた。夕食後のひととき、荒川夫妻に尋ねた。「一年目の今日、どんなことを思って過ごしたの?」。妻の陽子さん(62)は夫の登さん(63)を見ながら「どんなって、昨日も今日も変わらないよね。毎日精一杯だもんね」。登さんも「そうだね。家族を亡くした人は、一周忌のことやこれからのことで大変だからなぁ。1年目の日だから特別に何か思うっていうよりも、今をどうするかってことでいっぱいじゃないかなぁ」と言った。答えを聞いて、そんな問いを発した自分が疎ましかった。こんな問いを発することこそ、被災者と私の間の実測できない距離なのだと思った。前年夏から南相馬に通い、行けばいつも荒川夫妻と一緒に仮設住宅へ支援物資を配ったり、ビニールハウス作りや畑作りをしてきた。その間には津波で壊れた彼らの家に何度か一緒に行き、話も聞いた。だが私は、声にならずに呑み込まれてしまった彼らの言葉を、聴き取れていなかったのだと思い知った。

それからも南相馬に通い、また1年が経つ。あれからまた多くを聞かせてもらってきた。そして私は自問する。声にならない言葉は聞こえているか？　と。

根本内利意さん（44ページ前出）の家は原町区の萱浜にあるが、幸い津波の被害を受けず、3・11後、一度もどこにも避難せずに自宅で過ごしてきた。

「原発事故の後で、どうすべぇと思ってたら友達から電話があったんだよ。そいつも避難しないでいたんだけど、そいつの親戚が料理屋だったんだ。ちょうど地震のあった日に30人くらいの宴会の予約があって料理を作ってた時に地震で、津波だってんで避難して、20キロ圏内だったから、それっきり戻れなくなっちゃったって言うんだよ。友達がその料理を貰いに行こうって誘ってきたんだ。鰈（かれい）の煮付けや天ぷら、茶碗蒸しなんかもあって、それを貰って帰ったんだ。入る時は裏口からで、出る時は表からだったけど、見たら酒なんかもあるじゃない。

そこで一杯やったりしてね。友達と『おい、俺たち泥棒みてぇじゃねぇか』って笑っちゃったよ。いやぁ助かったな。スーパーもなんも、閉まってた時期だからね」。

鹿島区の、ある漁師さんの話はこうだ。

「地震の時は用事で外に出てたんだけど、家に戻る途中で沖を見たら真っ黒い壁みたいに波が立ち上がってんのが見えた。オートバイで逃げるべぇと、家に着いて急いでエンジンかけたところにすぐ後ろに津波が迫ってた。俺のオートバイは時速40キロだけど、津波はずっと俺のすぐ後ろをついてきたから、あん時の津波も時速40キロだった」。

それぞれ別の時に聞いた話なのだが、二人とも笑いながら話し、私も笑って聞いた。だがきっと、彼らと私の笑いには大きな隔たりがあったことだろう。私の場合、彼らの話を聞き、彼らが無事で良かったと思いながらも、その時の彼らの様子を思い浮かべての笑いだったが、話してくれた彼らの場合は、その時の空や風、見たものや聞いた音、心によぎったことなどその日の記憶、その日に繋がるそれまでの日々のすべてを思いながらの笑いだっただろう。

勝縁寺ご住職の湯澤さん（44ページ前出）からは、こんな話も聞いた。

「毎月ここにお参りに来る娘がいるんですよ。高校生なんだけどね。あの日、避難所に着いてから友達に電話したんだって。『避難した?』って。電話口で友達が『今避難しようと思って、お母さんと準備してるとこ』って言うのを聞いて、『なにしてんの！　早く避難しなきゃダメだよ！』って言ったとたん『ギャァッ！』って声が聞こえて、それっきりだって言うんですよ。可哀想に……』。

大切な友人を亡くした女子高生にとっては、月命日だから友達を思いだすのではなく、日々その日が心にあるからこそのお参りだろう。

彼らが生きてきた時間や経験へ思いを馳せ、彼らの視点で〝今〟そして〝これから〟を思えば、周年だからとその日を語ることにどれほどの意味があるのだろうか？

また3月が巡り来る。話してくれた一人一人の声が消えずに、耳朶に残っている。

第4章

ペットが居ればこそ

鹿島区にある千倉応急仮設住宅に、松本正枝さん（75）を訪ねた。正枝さんは娘と娘婿との3人でこの仮設住宅に住んでいる。松本さんの家は2012年4月に警戒区域解除になった小高区にある。震災前には、そこで娘夫婦と社会人の孫娘、高校生の孫息子の、一家5人で暮らしていた。娘夫婦は自宅に併設した店で、自動車の整備および販売業を営んでいた。

2011年3月11日に大きな揺れがあった時、孫娘を除く4人は自宅に居た。幸い家は無事で、余震が続く中、棚から落ちて散ったものなどを片付けていたが、家に居るのも危険だからと、4人は小学校に避難し、その夜は車の中で過ごした。孫娘も勤務先の大熊町からやっと戻ったが、12日には原発から20キロ圏内に避難指示が出たので、各自、毛布1枚ずつ持って、家族全員で川俣（かわまた）町の小学校に避難した。その夜も車中で一夜を明かし、翌13日に教室内に避難した。次から次に避難者がやって来たので、それぞれがやっと寝られるだけのスペースしかなかった。「あれはきつかったけど、それでもおにぎりが1個ずつ配られたり、ありがたかったですね」と、正枝さんは言う。その間にも娘婿の関東在住の友人たちから、危険だから避難して来いと電話がたびたびかかって来た。14日、避難先で「教室の後ろの戸は閉めて絶対に開けないように」と指示が出た。後になって判ったが、3号機の爆発があったからだった。その日にまた娘婿の友人からの電話を受けて、15日の朝早く、その友人のいる千葉に家族全員で行った。

工業高校2年生だった孫息子は、避難先の高校に編入し、卒業後は千葉の大学に入学して寮生活を送っている。孫娘は避難後2ヵ月経った時に勤務先と連絡が取れ、原町区の支店勤務となり一人暮らしを始めた。正枝さんは8月に、この仮設住宅に一人で入居した。娘夫婦は孫息子が大学に入るまで千葉に残り、翌年の4月から正枝さんと仮設での同居となった。そして娘夫婦は原町区に土地を買ってそこで商売を再開した。正枝さんは「息子（娘婿）はとてもしっかりしていて、社交的だし、とってもいいの。私は安心です」と何度も言った。

また正枝さんは、集会所ではボランティアなどが来て手芸や体操、ヨーガなどを教えてくれるし、入居者たちとお茶を飲んでお喋りもできるから幸せだとも言った。同じ集落からの人はいないが、入居者たちはみんなとても仲がいいと言う。被災前の暮らしから考えればきっと不自由なことも多いだろうが、正枝さんは「除染だっていつ済むか判らないいし、いつになったら戻れるか判らないから、もうそのことは考えないの。ここで娘夫婦と一緒にいるから幸せ。時間が経つと、辛かったことも忘れてしまった」と、笑って言った。

正枝さんと私はこたつに入って話していたのだが、私の足先に触れるものがあって、それは時々動く。反対側にもまた、同じように動くものがあった。もしかして猫？ と思い、そっとこたつ布団をめくると虎猫が丸くなっていて、もう一匹の黒い猫がこたつから出て来た。正枝さんに、避難する時、猫たちはどうしたのかを尋ねた。

「虎猫のトラちゃんは部屋に居たから、こたつに入れて餌をたくさん置いて、黒猫のマクは外に逃げ出してしまったので、庭にタップリ餌を置いて避難したの。15日に千葉に避難する時に家に寄って、トラちゃんを連れて出たけど、マクはどこにも居なかった。千葉に居る時は、借りた部屋で猫を飼ってるのが判ったらいけないと思って絶対外に出さずに、隠して飼ってたの。8月にここに来る時、ここはペットが居る人の仮設だったから、トラちゃんは連れて来たの。それから1ヵ月ぐらいして家族が自宅を見に行った時に名前を呼んだら、このマクが痩せてひょろひょろになって寄って来たんで、連れて帰ったんだ。昼間は私は一人だけど、この子たちが居るから淋しくないの」。

この千倉の仮設住宅の一部は、ペットを飼っている人のためのものだ。私は以前にも、支援物資を持ってこの仮設に来たことがあった。その時にとても印象に残ったことがある。集会所の前に置かれたベンチにおばあさんが二人腰掛けて、なにやらとても楽し気に話し込んでいた。声をかけて聞くと、二人は被災前の住まいはまったく別の地域で、ここに来て友達になったのだと言う。そして「もう私は、この人と離れたくないの」「そう、恋人みたいに大好きな友達なの」と言って笑いあっていた。二人とも犬を連れていた。

正枝さんの言う「幸せ」に、ペットの存在の大きさを思った。家族内だけのことでなく、入居者の互いにとっても、ペットの存在は大きいだろう。犬の散歩の折には挨拶を交わし合うだろうし、猫を介して交流も深まるだろう。そしてまた私は、ペットを連れ出せなかった被災者の心中をも思った。

パチンコ屋に行くことが……

あの日から2年が過ぎたころ、ビジネスホテル六角の前の道路、国道6号線を往来する車は、私が初めて南相馬を訪ねた時よりもずいぶん増えた。被災地は、復旧工事や復興に向けてのさまざまな仕事に携わる人たちで、一時的に人口が増えたのだという。南相馬でも閉店していた店が再開したり、新しいスーパーマーケットができたり、現場作業員のための宿舎が建ってきている。新たに開店したパチンコ屋もある。

パチンコ屋は私が南相馬に通い始めた2011年8月にも何店舗かあり、私がその前を通るのはたいてい朝だったが、どの駐車場にも十数台もの車を見た。時には二、三十台も駐車していて、パチンコ屋は大繁盛という感さえあった。もっとも、車の窓越しに駐車場を見ての感想で、実際に店を覗いてのことではないから、中はさほど人がいたわけではないかもしれない。

だが駐車している多数の車を見る度に、複雑な気持ちになった。私が住む東京でも、開店時刻の前から店先にたむろして、店が開くのを待つ大勢の人を見るが、そんな時に私が思うのは

「もっと他にやることがあるだろうに」とか、「若いのにエネルギーを無駄使いして」などということだった。だが被災地で見た同様の光景には、そうは言いきれない思いが混じった。

六角支援隊の大留隆雄さんは、辛辣だった。「朝からパチンコ屋なんかに行ってるようじゃ駄目だ。瓦礫撤去とか、やることはいっぱいあるんだよ。少しは自分で稼ごうと思えば、廃品回収だって何だって、探せば仕事もあるんだよ」と言う。それを聞けば私も、そうだと思った。そうだとは思ったが、津波で家や家族を失った人が、瓦礫撤去の仕事に向かえるだろうか？　なんとかして気持ちをパチンコではなく他に向けてもらいたいと思う一方で、家も仕事も、地域のコミュニティーも、また、人によっては家族さえも失った人が、パチンコで気を紛らわせることも仕方がないのではないかと思えるのだ。

パチンコに代わる何かを提供できないことをこそ、責めるべきではないのか。

狭い仮設住宅にいて気を紛らわせたくて、被災前にはやったこともなかったパチンコをしてみたら、それが病み付きになってしまった人もいると聞く。パチンコやゲームなどへの依存症は問題だろうが、被災地の場合、それは個人の問題なのだろうか。

同じく六角支援隊の荒川陽子さんからは、こんな話を聞いたことがある。

久しぶりに、中学校の同級会をしたそうだ。被災前にはちょくちょくみんなで集まっていたのだが、被災後は遠くに避難した人もいて集まることもなく過ぎていた。久しぶりに集まって顔を合わせた仲間とは互いの無事を喜び合い、また消息の確認もできて、嬉しいひとときだったという。

「同級会がお開きになった後で、みんなでカラオケに行こうって話になったんだ。でも、私は行かなかったの。前に東海村から福島の話を聞かせてって言われて大留さんたちと行った時、こんな質問が出たんだ。仮設住宅にいる人が朝からパチンコ屋に入り浸ってるって聞いたけど、賠償金を貰って、そんなことに使ってるのかって。私は今、借り上げ仮設住宅に住んでるから、カラオケなんかに行って、またそんな風に思われっといけないでしょ。だからね、行かなかったんだ」。

荒川さんは20キロ圏内にあった自宅が津波で壊れ、3世代5人での暮らしは3ヵ所に分散して、今は借り上げ仮設住宅暮らしだ。家財道具も服も何もかも失って、ゼロから今の暮らしが始まった。久しぶりの同級会で、友と一緒にカラオケに行ったからと、誰が責めよう。ささやかな、ささやかな息抜きではないか。外野の言葉を気にせずに、息抜きをして欲しいと思う。

知り合いになった仮設暮らしの方たちで、今も挨拶を交わし、六角支援隊が催すヘアーサロンや炊き出し、講演会やイベントに出てきてくれる人は多いが、中には挨拶をしようにも、閉じこもって出て来ない人も何人かいる。家の中にいることは判るのだが、何度声をかけても顔を出さないし、隣近所の人とも顔を合わせず会うと顔を背けるという。

被災から2年を迎えようとする2012年暮頃から、パチンコ屋の駐車場で見る車の台数は、心なしか減っている。新しい店もできたので、分散しているのかもしれないのだが、家の中に閉じこもる人が増えたのではないかと、気にかかる。それならいっそのこと、パチンコ屋に行くほどの元気を出して欲しいとさえ、私は思う。

仮設住宅の居住期限は、当初より延びて3年になり、さらにもう1年の延長が認められた。でも、その先はまったく見えないのが現状だ。

3度の春を迎えても

南相馬市小高区は原発から20キロ圏内だが、2012年4月16日の警戒区域解除後に、避難指示解除準備区域と居住制限区域、帰還困難区域の三つに再編成された。解除の当日に私は小高区に入ったが、海岸寄りの地域は津波被害で失われた家も多く、元は人家や畑だったところは浅い海と化していた。町中は地盤の緩さのせいか地震の被害が大きくて、蔵造りと呼ばれる瓦葺きの見事な建築様式の家々が倒壊し、駅前通りの商店は傾いたり半壊し、道路は波打っていた。山側の地域は津波はもちろん、地震の被害もほとんど見られなかったが、放射線量が高い。至るところ丈高く枯れた雑草に覆われ、人気の無い寺では桜が満開だった。解除の日、自宅の様子を見に戻る人たちで、道路には車の列ができていた。そしてこの日から帰還困難区域以外は日中は自由に家に戻る事ができるようになったが、宿泊する事はできない。電気は通じているものの、上下水道はまだ通じていないからだ。

小高神社では、震災によって壊れた鳥居や灯籠などを直して、7月には無事に相馬野馬追の祭事が行われた。秋が深まった頃から、町中の倒壊した家々の取り壊しが少しずつ始まった。年が明けてまた行ってみると、人気の無い駅前通りで、赤、白、青の三色の斜め縞がぐるぐる回るサインポールを見た。床屋さんが営業していたのだった。毎朝、仮設住宅から水を運び込んで営業しているのだという。人が戻っていない町での営業再開は、利益を考えての事ではなく、先へ進む希望を掲げての事だろう。その先のケーキ屋さんの店先には「菓詩工房わたなべは、ここで再開します」と書かれた看板が立てられていた。決意を持って立てられた看板だった。

鹿島区の小池長沼仮設住宅には、小高区からの避難者が何人かいる。2013年3月19日、長野県からボランティアで来た理容師と美容師4人によるヘアーサロンが、この仮設住宅集会所で開かれた。私は椅子に座って順番を待つ人たちにお茶を出しながら、みんなの話を聞いていた。その中の一人が相浦(あいうら)さんのおばあちゃん(85)だった。

「家は小高だったけど、家も息子も流された。私ら夫婦は石神(いしがみ)第二小学校に避難したけど、次の日には原発事故で〝ゆめはっと〟(市民文化会館)に避難所が移って、そこで二泊、それから新潟の三条に避難した。三条に3ヵ月ほどいて、この仮設に入ったけど、じいちゃんが少しずつおがしぐなった。几帳面なしっかりした人だったんだよ。ちり紙もきちんと畳んで揃えて、ポケットに入れとくような人だったんだ。それがこないだは『ばあちゃん、これなんだべ。食べられっか』って言うがら、見せでみって言ったら、自分の出したコロッコロの大便だった。薬飲んでっから、便秘すんだな」。そこまで言って、おばあちゃんは急に口調を改め、「さっきはどうもすみません。暴れちまってご迷惑をおかけしました」と言った。ついさっき、連れ合いのおじいちゃん（89）がヘアーカットの順番待ちが嫌で帰ろうとした時に、それをなだめた係の手を激しく振り払った事を言っているのだ。

おばあちゃんの言葉は続いた。「おどなしぐて暴れるような人じゃなかったんだけど、几帳面な人ほど、この病気になりやすいってお医者さんは言うんだ。外にも行がねぐなって、足腰も弱って、気難しぐなったんだな。さっきじいちゃんが帰るって暴れた時に、オラ言ったんだ。『じいちゃん、あんたの頭きれいにしてくれるって、遠い長野から床屋さんが来てくれたんだぞ』って。したら、ウンって言って座ったな。こんな病気んなっても、言葉がけ一つだな」。

津波で家も息子も失うという大きな衝撃と、その後の急激な環境の変化で、相浦さんは一気にアルツハイマー型認知症の症状が出てしまったのだろう。昼夜ひっくり返ったようなおじいちゃんの介護をするおばあちゃんも、心身ともに疲れがたまっていて安定剤、睡眠薬が欠かせない。

志賀晴子さん（77）も小高に家があり、自宅の納屋は流されたが、母屋は数年前の改築時に盛り土をしてあったために無事だった。相浦さんと同じルートでこの仮設に落ち着いたのだが、２０１2年末に夫が亡くなった。

「時々家に戻ってます。家に帰って暮らしたい。だけど、家に帰ってもどうやって暮らせるんだろう？　畑も塩を被って使えないし、除染しても元に戻るか判らない。この間帰った時、庭に咲いてた水仙を見て、嬉しくて、悲しくて、申し訳なくて……。一人がこんなに寂しいもんだとは思わなかった……」と涙ぐむ。

前を向いて歩み出そうとする人もいるが、ただ立ちつくすしかない人たちもいる。誰もがきっと、叶わない事とは知りながら、震災前の生活に戻りたい、失ってしまったすべてを取り戻せたらと思っているのだろう。そして、３度目の春も過ぎていった。

フクシマ　潰失した故郷

南相馬市の矢川原（やがわら）に住む荒文夫さん夫婦は、娘は愛知県に嫁ぎ、息子は横浜で一家を構えていたので、もともと夫婦二人暮らしだ。矢川原は原発から２０キロ圏外で、戸数７０戸ほどの集落だった。原発爆発後、子供のいる人たちは皆、ここを出て他所へ移った。人口にして７割が出てしまった。近くの太田小学校は被災前には一クラスが２０名弱で元々集落全体に子供の数は少なかったが、今では子供の姿はまったくない。公務員だった文夫さんは持病があるので、定年退職後は病院通いの他は家でのんびりと過ごしていたし、妻は家の庭で自家用の野菜などを作って過ごしていた。３月１４日から５ヵ月ほどは、横浜の息子たちの家に避難していたが、住宅が密集していて窓も自由に開けて暮らせない毎日と、日中部屋の中で朝からテレビを見るしかない生活で体調を悪くして戻って来た。ここ矢川原の荒さんの家の前にはせせらぎが流れ、その向こうは緑濃い山だ。

こんな風に言うと、「他の地での暮らしになじめない。住み慣れたところで暮らしたいのだろう」と被災地に居ない私たちは思うかもしれない。だが、そんなに単純なことだろうか？

「夏休みや春休み、正月になっても、孫たちに田舎においでとは、もう言えんなぁ」と、荒さんはため息まじりに言った。

高倉（たかのくら）は原発から20キロ圏外の集落だが、線量の高いホットスポットだ。背後が山なので放射能が溜まり易いのだろう。

千葉さん夫婦は、92歳の信一さんと87歳の梅代さん、そして市内の福祉施設勤務の息子と3人で高倉に住んでいる。震災前は息子の長女（つまり孫）一家がすぐ近くに住んでいた。幼い時に母親をなくした孫娘を千葉さん夫婦は親代わりになって育ててきた。その孫が結婚して曾孫（ひまご）が生まれると、共働きの孫夫婦を助けて、曾孫を預かったり保育園への送迎をしてきた。孫夫婦は、毎朝千葉さんの家に曾孫を連れてきて仕事に出かけ、信一さんか梅代さんのどちらかが、保育園に送って行くのだった。夕方保育園に迎えに行って孫夫婦が仕事から戻るまで預かり、戻りが遅くなる時には夕飯も食べさせた。二人目の曾孫が生まれてからも続いていたその暮らしを、原発事故は奪った。孫一家は、今は新潟に住んでいる。

曾孫二人は、信一さんと梅代さんによくなついていた。「孫娘は引っ越しの時、ばあちゃんの側を離れたくないとしがみついて泣くし、私らも涙、涙で〝引き剥がされるような思い〟で別れた」と話す梅代さんの目は潤んでいた。

千葉さんの家を訪ねたのは原発事故から半年以上後のことだったが、部屋の長押（なげし）の上には孫娘の結婚のときの写真や曾孫の七五三の写真が飾られ、部屋の中には曾孫のおもちゃの自動車や人形が、今しも遊ばれていたままのように置かれていた。私が「このおもちゃは曾孫さんたちのものですか？」と問うと「そう。いつ帰って来ても良いようにね。帰って来た時これらが全部片付けられていたら、きっと淋しい思いがするでしょう？」と、少し微笑（ほほえ）んで梅代さんは言った。が、直ぐに付け加えたのだ。「帰って来れませんよ、もうここには。危険だから、若い人は住ませられないですよ」と言って、唇を噛んだ。

米作り農家だった千葉さんは、年がいって農作業ができなくなってからは農地を人に貸し、庭の畑で梅代さんが自家用の野菜を作るだけになっていた。曾孫の世話が、老夫婦の生き甲斐になっていた。庭で採れたトマトやキュウリは曾孫たちのおやつになったし、曾孫たちは漬物名人の梅代さんの料理が大好きだった。孫娘は「私の作るおかずより、ばあちゃんの作る方が美味しいって言うんだよ」と言っていたそうだ。

千葉さんの家の裏手はすぐ山で、猪や猿などの野生動物が棲む。作物への野獣の被害の話になったときだ。「猿は賢いからねぇ。かなわねえんだ。どんなに柵をしたって飛び越えてくるし、自分で飛べないような高い柵は、仲間がしゃがんで台になって飛び越えっからね。いつだったかは電信柱に登って、そこからジャンプして畑ん中に飛び込んだよ」と信一さんは言い、つと両手を揃えて膝の前に置いて首を左右に動かし猿の真似をしてみせた。それは本当に猿の仕草によく似ていたけれど、ただ笑いを取るタレントの形態模写のようではなく、また言葉も、作物を荒らす害獣への憎しみばかりではなく、この地に生きる同胞（どうほう）へ向けた言葉とも仕草とも思えた。梅代さんもまた、「柿漬けするのに良い柿をもごうと思っても、たいてい猿に先を越されちゃう。今年はみんな、猿さんたちにくれてやるです」と笑って言う。梅代さんは漬け物名人で、野菜を漬けるのに柿を使うそうだ。家族にも近所の人にも、美味しくて評判の柿漬けだったそうだ。もちろん今年はその柿漬けもつくれない。柿はたわわに実っているのに。

　家族や近隣の人との繋がりも、代々暮らして来た土地の山や田畑や樹木、そこに生きる鳥や獣も含めて目に入る限りの自然との繋がりも、また、そうした有形のものとの繋がりばかりでなくそれらのなかで培われて来た暮らしも、そこに永々と流れてきた時間も、それら一切すべてが、3月11日に断ち切られてしまった。何もかもが断ち切られたのだ。故郷〝潰失（かいしつ）〟と言えよう。

　話してくれた人たちの多くが「墓があるから、他所へは移れない」とも言うのだった。それは故郷の地縁に生きる人たちの思いだろう。墓という有形のものが、その地に流れた無形の時間を象徴してはいないだろうか。

「他所へは移れない」との言葉に、私は頷くしかないのだが、ここでの今が〝暮らし〟と言えるだろうか？　千葉さんのように孫一家がすぐ近くにいたあの毎日こそが、〝暮らし〟だったのではないか？

荒さんも千葉さんも自宅に住んでいるが、市街の借り上げ住宅で暮らす六角支援隊の荒川陽子さんの例を引こう。荒川さんの家は小浜にあった。新築して3年目の家は津波で1階部分が壊れ、2階は辛うじて無事だったが、小浜は原発から20キロ圏内なので警戒区域となり全戸避難対象となった。そして今は、借り上げ住宅に住んでいる。

これまでに2回、一時帰宅を希望して自宅へ戻った。1度目の帰宅では、もちろん家の中に入った。津波をかぶって家具や調度品のことごとくが壊れた1階は避難した時のままだったが、2階に上がると家具やパソコン、絨毯（じゅうたん）など多くが盗まれ、無くなっていた。ついひと月ほど前に2回目の一時帰宅を申請して戻ったが、その時は家には行かなかったという荒川さんに「戻って何をして来たのですか」と尋ねると、「お墓参りをして来ました」という答えだった。

一時帰宅は1度目もそうだったが2度目も滞在は4時間と限られて、防護服、マスク、線量計の他にペットボトル２本の水が与えられた。荒川さんはおはぎをたくさん用意して行き、自分の家の墓だけでなく近所の墓の雑草も取り、おはぎを供えて祈ってきたと言う。火を使って火事になるといけないので、線香は焚かなかったが、そうして４時間を過ごしてきたと言う。９月になっても暑い日が続いていた。人気の無い荒れた墓所で、限られた４時間を炎天下で祈って過ごした荒川さんの心に思いを馳せる。荒川さんはなおも言葉を続けた。「家のところで線量計で測ってみたら、今住んでる街中の家よりも低かったです。何度か確かめたのだけれど、やっぱり」。それでも荒川さんは、警戒区域内の自宅に戻って暮らすことはできないのだ。加えられた言葉に、いっそう胸が締め付けられる。

仮設住宅に暮らす浜野さん夫婦は萱浜に家があり、農業を営んでいた。津波をかぶって家は大きく傾き、畑は流された。夫の博年（ひろとし）さんは震災の前日の３月１０日に手術のためにいわき市の病院に入院して、妻の芳枝さんもそこに居たので夫婦は共に無事だった。博年さんが退院してから二人は避難所にいた。病み上がりには避難所暮らしはきつかったが、７月に仮設住宅に入ることができた。

浜野さんの集落では、津波で亡くなった人が６０人に上り、友人や知人のお葬式が相次いだ。喪服も流されてしまったので、仮払い賠償金の１００万円で夫婦の喪服を買った。お葬式には出られなくても香典を届けるし、特に親しければ花輪も届ける。だから１００万円などすぐに消えてしまったと言う。それを聞いた時には「仮設暮らしの非常時なのに」と驚いたが、それが地縁に生きる人たちの心情なのだろう。時には煩わしく、また鬱陶しい地縁であっても、そこで人は生まれ、育まれてきた。

その一方で、政府の半径２０キロ、３０キロという一律の線引きは人の心を相反目させ、引き裂いた。３０キロ圏外で大原のホットスポットに暮らす谷君子さんは、これまでとはまったく違う暮らしを強いられている。たとえば飲料水。これまでは山からの清水を引いて使っていたが、もうそれは危険で飲めない。お茶や米炊きなど飲用には買ってきたペットボトルの水を使う。出費は相当嵩む。けれども谷さんには何の補償金もおりない。すぐ下の３０キロ圏内、計画的避難区域の人は避難所に入ったが、その間は食べ物が支給されていたし、今は借り上げ住宅に暮らしていて、住居費は払わずに飲み水の心配もなく暮らしている。谷さんの所には支援物資も届かない。こんな不公平があるかと、谷さんは憤懣やるかたない。これまでは仲良くおつきあいしてきたが、そしてその人が悪いのでないことは判っているが、今は顔も見たくないという。そういう谷さんを、心が狭いと責められるだろうか？

被災地を歩いて不思議に思ったことがある。津波の被害を受けた辺りに小さな社（やしろ）が無傷で残っているのだ。そこより奥にあって少し小高い場所に建つ家が、一階部分は波に流されて柱しか残っていないのに、小さな社には被害が無く残っているのだ。他にも幾つかこうした社はあるが、どこもみな辺りの家は被害にあっているのに、社は残っていると言う。そう聞けば、大地と、そこに太古から連綿と流れた時間は不可分で、先祖たちはその〝不可分の場所と時〟の中で生きてきたのだと思う。それが、人にとっての故郷なのではないか。

原発は、人々からその故郷を奪った。

フクシマに通いながら私は、その〝故郷〟を生きようと思っている。

第5章

決めたからには、笑って生きる

２０１２年５月の下旬に、宮城県南部の丸森町筆甫（ひっぽ）を訪ねた。１１年の夏に南相馬市のビジネスホテル六角で初めて会ったのぞみちゃんの言葉が心に残っていた。ビジネスホテル六角は、現地ボランティアグループ《原発事故から命と環境を守る会》の拠点だったが、のぞみちゃんはそのメンバーの一人だった。他のメンバーは皆、中高年のおじさん、おばさんたちだが唯一のぞみちゃんは当時１９歳。のぞみちゃんが支援隊の活動に参加するようになったのは、彼女のおばあちゃんが、「うちの孫にも何かさせて欲しい」と連れてきたのがきっかけだった。のぞみちゃんは高校卒業後にうまく就職先が見つからず、共働きの両親や姉が仕事に出ている留守を祖母と守りながら、家事手伝いをしていたのだ。

原発から半径２０キロ圏から辛うじて１５０ｍばかり外に立地する場所で、こんなに若い人が暮らしていることに驚いた私は、彼女に尋ねたのだ、3・11後に避難しなかったのかと。のぞみちゃんは言った。

「１１日は大甕（おおみか）小学校に避難して、次の日には第一中学校が避難先になり、３日間一中に居た。１４日の原発事故の後で、南相馬から避難するということで、みんなで丸森の筆甫に移った。廃校になった中学校に３ヵ月居て、南相馬に戻ってきた。そこにいる間は判らずに帰ってきてから知ったけど、あそこにいた３ヵ月の間に私はたっぷり放射能を吸って帰ってきた」。

「マルモリヒッポ」という響きが妙に耳に残り、のぞみちゃんはそこで「タップリ」放射能を吸ったということが心に掛かっていた。丸森町は福島県に準ずるほど放射線量が高いという報道を、何日か前に読んだばかりだった。

年が明けて友人からの便りで、友人の娘の未弧（みこ）さん一家が丸森町筆甫に住んでいることを知った。未弧さんと太田茂樹さん夫婦はＩターンでそこでの暮らしを選び、有機農法で米や大豆を作り味噌工房を営んでいると記されていた。そして工房で発行している通信「Ｓｏｙａネット！第１４便」も添えられていた。２０１１年１１月発行のその通信は「フクシマ後のひっぽ」のタイトルで、震災後の暮らしと取り組み、その地を離れずに暮らしていこうと結論するまでの家族の葛藤などが綴られていた。茂樹さんは県南部の仲間たちと「子どもたちを放射能から守るみやぎネットワーク」を立ち上げ、その代表を務めていること、活動の一環として今（いま）中哲二（なかてつじ）さんの講演会を開催したことも記されていた。

被災した南相馬のお年寄りたちから、生まれ育った故郷を離れられない思いを多く聞いてきて、未弧さん夫妻に会いたいと思った。Iターンで暮らした土地が被災地となってしまった後もそこに生きようと決意した若い世代の思いを直に聞きたかったし、彼らにそう決意させた丸森町筆甫はどんな所なのか知りたくもあった。太田さんの家に電話をしたのは、春になってからだった。そして2012年5月、南相馬からの帰路に筆甫の太田さん家族を訪ねた。未弧さんに教えられた通り、福島駅から阿武隈急行で梁川駅に降りると、未弧さんが改札口で迎えてくれた。「家はここから30分ほどです」と言って、未弧さんは車を発車させた。

市街地を抜けて山道に入ると、両側から枝を広げた広葉樹のトンネルを行くようで、体は緑に染まりそうだった。途中の果樹園の柿の木は除染のために幹の表皮が剥がされて、白々とした姿で若葉が日を照り返していた。水を張った田圃には早苗が行儀よく並び、カエルの声がしきりだった。

家に着くと、茂樹さんは前の田圃で代掻きをしている最中だった。私たちを見て「すぐ終わりますから上がって待ってて下さい」と言った。板敷きの居間は、元は土間だった所を茂樹さんと未弧さんで板張りにしたのだと言う。子どもたちの描いた絵が壁に貼ってあり、柱には地元消防団の法被がかかっていた。なんだか懐かしい雰囲気の、気持ちのいい部屋だった。ほどなくして訪ねて来た人があり、未弧さんが誘ってくれていた、同じくIターンで丸森に住む北村保さんとみどりさんだった。作業を終えて、茂樹さんも座った。

東京の杉並区で生まれ育った茂樹さんは大学院で環境社会学を学んだ後に、豊かな自然の中で、循環型の暮しをしたいと考えて1993年に丸森ヒッポに移り住んだ。自然の中での暮しを求めていた練馬区出身の未弧さんもまた丸森を訪ね、そこで茂樹さんと出会い、結婚して子どもも生まれた。二人は「山の農場&みそ工房SOYA」を営んで、町内外にネットワークを築き、暮してきた。茂樹さんが丸森を選んだのは、福島第一原発からも女川(おながわ)原発からも50キロ以上離れていたことも理由の一つだったという。ここでの暮しに溶け込み、子どもたちも〝丸森っ子〟として元気に育っていた。茂樹さんは過疎高齢化の進む地区をなんとかしようと、Iターン、Uターン者と地区の人たちとの繋ぎ役も務めてきたが、原発の事故後、Iターンの数家族が地区を離れ、移住相談もまったく途絶えたという。

事故直後、未弧さんは5年生の長男、3年生の長女、1年生の次男と保育園児の次女を連れて東京の実家に避難したが、茂樹さんは残った。二人は、考えに考え悩んだ末に、丸森を離れず、ここで子どもたちのために最善を尽くして生きることを決意した。そして新学期が始まるのに合わせて、未弧さんは子どもたちを連れて丸森に戻った。

太田夫妻は「考えに考え悩んだ末」の選択によって、ヒッポでの新たな一歩を踏み出したと言えるだろう。小学校の除染を求めて活動し、自らもスコップを持って作業にあたった後で、同じ思いを持つより多くの人が繋がる必要があると考えた茂樹さんは、県内の人たちに呼びかけて〝子どもたちを放射能から守るみやぎネットワーク〟を立ち上げ、代表になった。その活動の一環として、京都大学原子炉実験所の今中哲二さんを招いての講演会も開催したという。

地区で放射能汚染マップを作り、食品用の放射線測定器を購入して食の安全を守り、子どもたちの健康調査、損害賠償請求をしてきたという茂樹さんだが、「一番グサリときたのは、『自分の子どもも汚染地区から避難させずに居るくせに、〝子どもを守る〟なんてよく言えたもんだ』という言葉です」と言う。いたずらにここは汚染地区だと騒ぎたてて迷惑だと、言外に茂樹さんらの活動を非難する言葉だった。この言葉とは表現こそ違え同質のことを、事故の直後に、長崎大学（当時）の山下俊一（しゅんいち）教授が言っている。「笑っている人には放射能の影響は来ない」という言葉だが、これをどう聞いたかと尋ねると「あれは信じられません。でも、ここで生きると決めたからには、私は笑って生きます」と答えが返った。

のぞみちゃんたち南相馬の被災者が避難生活を送った旧筆甫中学校の校舎は、鉄筋2階建てで設備も整っていた。校舎の端には、避難生活を送る被災者のために茂樹さんたちが建てた風呂場が残っていた。茂樹さんは過疎のために廃校になったここを、地区の高齢者のための福祉施設や再生可能エネルギー施設などに転用して、地域のこれからに繋げていこうと呼びかけも始めたそうだ。

丸森町には他にも何組かIターン組がいたそうだが、多くは去ったという。それらは来てからまだ年数が浅い人たちで、妊娠していたり小さい子供がいたりする人たちだったそうだ。北村さんが丸森に来て20年、太田さんが17年という。他にも何組か残った人たちがいるそうだが、その人たちはきっと、丸森での日々の中で地元の人たちに溶け込み、また受け入れられていったのだろう。柱にある消防団の法被に、私はそう思った。

保さんは栃木県出身で横浜市の職員だった。みどりさんは大田区の出身だ。丸森町の小斎（こさい）に住んで不耕起、無農薬で野菜を作り、出荷してきた。小斎は事故を起こした原発から55キロメートル地点に立地している。事故を知った直後は放射能の影響が恐ろしく逃げることを考えたが、二人で話し合い「今ここに居る意味を考えよう」と、文科省、厚労省、農水省、町役場、県庁、新聞社などなどに電話やメールで宮城県南部の線量データを出すように要請したという。野菜を購入している人たちには「4月以降の発送予定は白紙に戻して」との手紙を出し、産直販売を中止した。そして4月下旬に、民間の研究機関に土壌検査を依頼した。国の定める作付け禁止レベル以下だった。けれども、「安心して食べられる体に良いもの」を作りたくて農業を志し丸森に移住した北村さんは、たとえ作物が〝検出限界値以下〟だったとしても、ここの環境は以前とは違ってしまったし、もう以前の状態には戻れない……と時には絶望的な気持ちになることもあった。だが、これまで不耕起自然農法でやってきた経験を活かして、土を極力動かさず、放射能を取り込みにくい作物を選び、被曝を最小限に抑える作業の仕方を工夫して、これまでよりも更にエコロジカルな仕事を生業にしよう、それが「今、ここに居る意味」だろうと考えた。

保さんは事故後に立ち上げられた、市民と農民による放射線測定室「てとてと」で働き始めた。

4人の話を聞いているうちに太田夫妻の子どもたちが学校から帰ってきた。6年生の和馬(かずま)くん、4年生のあま音(ね)さん、2年生の玄周(げんしゅう)くんだ。3人はみどりさんが作って持ってきてくれたパウンドケーキを美味しそうに食べ、宿題に取り組み始めた。末弧さんが末っ子の蕗(ふき)ちゃん(3歳)を保育園に迎えに行き、北村夫妻は帰っていった。

茂樹さんは味噌の工房を見せてくれた後で、また田圃の代掻きに戻った。私は末弧さんと子どもたちと一緒に2匹の犬の散歩に出て、ヒッポの空気をお腹に吸った。あま音さんと玄周くんがそれぞれ犬の引綱を持っていた。畑中の道を公道に出ると緩い下り坂で、二人は犬を放ち子どもたちは犬とかけっこだ。蕗ちゃんが転ぶと玄周くんが「大丈夫?」と戻って声をかけ、蕗ちゃんはべそをかきながら未弧さんにおんぶをせがんだ。おぶさった蕗ちゃんに玄周くんが「フウッてしてごらん」と道ばたの綿毛になったタンポポを手折って渡した。2匹の犬の綱は和馬くんとあま音さんの手にあり、未弧さんは「茂樹さんはサッカーチームも作れない小規模校に通う子どもたちだから、せめて走ることで体力をつけさせようと、毎日ここを往復2キロ子どもたちと走るんです」と言った。その眼の先に和馬くんたちの通う小学校が見えた。全校生徒16人で、6年生は和馬くんともう一人の二人だけという。

田圃の上にトンビが舞った。舗装路に這っていた毛虫を玄周くんがつまんで草地に放した。緑が溢れ心地よい風が渡っていた。「気持ちが良いですね」と言うと、未弧さんは「この自然の中で子どもたちを育てたいと思いました。子どもたちを守りたい。放射能からも、不自然な環境からも」と言った。茂樹さんは役場や地区に呼びかけて、率先して田畑や通学路の除染に取り組んでいる。

太田さん、北村さん、他のIターンの人たちも、悩み考え抜いて移転ではなく丸森で暮らし続けることを選んだ。そして自分たちの暮らしを守るばかりでなく地域と地域の人たちの暮らしや健康を守ることに心砕き、生産する食品の安全のための新たな取り組みを探っている。関係各所への要請行動、子どもを持つ家庭への注意の呼びかけ、放射能測定器を入手しての測定値マップ作り、除染活動など地域の人たちに呼びかけ、率先して取り組んでいる。自分たちの本業の味噌作りや農業だけではなく、この町の今後を見据えながら、ここに生きようとしている。「国家」は人々から故郷を奪ったが、人は「ふるさと」「くに」をつくっていくのだろう。

新しい朝を祈る

初めて南相馬に行ったのは、3・11から5ヵ月過ぎた時だった。その日、宿にしたビジネスホテルの主人大留さんが、被災の跡を案内してくれた。

「この上野さんの家はね、じいちゃん、ばあちゃんと子どもが二人流されちゃって、残ったのは仕事に出てたお父さんとお母さんだけ。ばあちゃんと小学生の女の子は見つかったけど、じいちゃんと下の男の子はまだ見つからないんだよ」。1階は柱だけ残し、2階は部屋も屋根もそっくり残っている家の前で、大留さんは言った。家の裏手には数本の杉木立があって、どうやらそれがあったお陰で家は流されずに残ったらしい。

その辺り一帯では、辛うじて家としての姿を留めているのは、この一軒だけだった。被災前には畑地の中に何軒もの家々があった集落だったろうに、無惨にも他の家々は形がなく、土台だけが残っているか、あるいは、すっかり潰れた家の残骸が残っているばかりだった。辺りにはコンクリート片や家具、壊れた家財道具やその断片、農機具や乗用車が転がっていた。そこへ通じる道ではコンテナや消防車、墓石なども散乱していた。それが初めて行った南相馬市原町区萱浜の光景だった。福島第一原発から23キロほどの地域だ。

その後も南相馬へ通い、何度か萱浜にも行った。秋彼岸の頃には地面の上にあったものはあらかた片付けられて、土台だけの家の前に小さな祭壇が置かれ、写真や花が飾られていた。自身は無事だった家族が供えたものだろうか、それとも離れて暮らしていた縁故の人が供えたものだろうか。煙草や缶ビールが供えられた祭壇もあった。行く度に辺りは片付いていったが、祭壇だけは残されて、新しい花が飾られていたりもした。年が明けた頃には、辺りの瓦礫はすっかり片付けられて、ただ広い原になっていた。何軒かの土台と祭壇が残るだけだった。

震災から一年が過ぎた春、今度は荒川さんの案内で、杉木立を後ろに控えた上野さんの家に出かけた。その家の前には、矢車を飾ったポールが立ち、鯉のぼりが泳いでいた。荒涼とした周囲の光景の中で、その鯉のぼりは、上野さん夫婦の願いであり、祈りであるように私には思えた。

上野さんの家は、津波で柱だけが残った1階の上がりがまちに、祭壇が設えられ、子どもたちの写真やおもちゃが飾られ、線香が置かれていた。だが、たいていいつも、私は祭壇の前ではなく青空に泳ぐ鯉のぼりに、手を合わせて過ぎていた。上野さんの家の前には、真夏の日差しの下にも、鯉のぼりはあった。秋空の下にも、それはあり、風を孕(はら)んで泳いでいた。
東京で過ごしていたある日、友人からこんな事を聞いた。「ゴールデンウィークに仲間を誘って南相馬に行ったの。津波被害を受けた所に鯉のぼりが立っていて、それを写真に撮ってたら男の人が出てきて、殴り掛かって来るような勢いで怒られた」。友人の話からすると、どうやらそれは上野さんの事だった。南相馬でも、上野さんの噂を聞いてはいた。行方不明の子どもはまだ生きていると思い込んで、お父さんは気がふれたように捜しまわっているとか、ボランティアを受け入れて瓦礫撤去をしているとか、人の口はさまざまを言っていた。私は、あの鯉のぼりは迷子になった幼子が帰って来られるための目印だと思えたし、行方不明者を捜す事を許さなかった〝放射能放出〟という現実こそが狂っているのではないかと思っていた。幼子の父を思うと私もまた、いたたまれない思いになる。

　上野敬幸さんに会ったのは、初めて萱浜を訪ねた日から1年経った時だった。その日私は、上野さんの半壊した家の前に設えられた祭壇に線香を焚き、手を合わせた。立ち上がって帰ろうとした時に上野さんが来あわせ、話を聞かせてもらった。

　3月11日、地震の揺れが小さくなってからすぐに上野さんは、仕事先から家の様子を見に寄ってみると、両親と下の子は、学校に避難するところだった。上野さんはそれを知って安心し、職場に戻って社用の車を返し、自分の車に乗り換えて帰宅する途中で津波が来た。上野さんは、津波から逃れながら車を走らせている途中で、津波に呑まれた人を助けもした。それは津波に襲われたがさらわれず、引き潮の後で立てずにいた人だった。そして、避難所に行ってみると、両親も子どもたちの姿もそこにはなかった。「複雑だよ。他人を助けて、自分の子どもを助けられなかった……」。そう言って、上野さんは唇を噛んだ。

避難所に子どもたちが居ないのを知って、彼らを捜しに自宅に戻ったが、道中は瓦礫の山を一歩一歩越えながらの事だった。壊れた壁や道具、他から流れてきたものに埋まった家の中を懐中電灯で照らし「誰か居るか？」と声をかけると、下隣のお爺さんが流されて来て家の中に積み上がった瓦礫の上に居た。自分一人では助け出せず、警察に連絡して救助を頼んだ。

看護師の妻は病院に勤務中で、無事の確認はできていた。結局両親と子ども達は見つからないまま避難所に戻り、翌朝また家に行ってみると、お爺さんはそのままそこに居た。消防団の仲間たちとお爺さんを助けて、避難所に運んだ。「警察には住所もちゃんと伝えて、怪我した人が居ますから助けてくださいって、電話したんだよ。だけど、警察は来なかった。二次被害を避けるためかどうか知らないけれど、それで僕たちは見捨てられてるって思った」と、上野さんは言う。

原発事故後、妊娠していた奥さんを茨城の親戚の家に避難させ、上野さんは一人現地に残り家族の捜索を続けていた。地元の消防団の仲間たちもいったんは避難した人もいたが、上野さんがそこに留まっている事を知って戻り、行動を共にした。

「有難いのは、仲間たちだよ。家族を亡くした奴も居るんだよ。それでも、みんなで瓦礫を片付けながら、捜索をしていった。自衛隊が捜索に入ったのが4月20日。『あ〜、これでみんな見つかる』と思った。自衛隊に『どこか気になる所はありますか?』って聞かれて、『どこもかも全部です』って答えた。だってそれまでに僕たちで40人を見つけてたんだけど、まだまだ見つからない人たちがいたんだから。自衛隊は10日ばかり萱浜に居て、2人見つけただけで、5月になったら小浜地区へ移動してしまった。彼らはこんな事も言ったよ。『人の体は埋まりませんから、土の中には居ません』って。僕らは胸まで埋まって頭だけ出てた人も捜し出したのにね」。

小浜は萱浜の南に位置し半径20キロ圏内となる。行方不明者の捜索に自衛隊が活躍した事はニュースになった。総数ではかなりの人員が投入され、困難な状況下での捜索活動ではあったろうけれど、現場の状況には応えきれていなかったのだ。

消防団の仲間と瓦礫を片付けながらの捜索活動は、初めは素手だったが、重機を一台借りることができて続けられた。家の近くで娘の永吏可(えりか)ちゃんを見つけ、上野さんは自らの手で抱いて安置所に運んだと言う。「ごめんね、ごめんねって、謝りながら抱っこして運んだよ」「倖太(こうた)

郎（ろう）も抱っこしたい。早く抱っこして謝りたい」。上野さんは今も毎日捜索活動を続けている。

市の発表では5月現在での行方不明者は3人となっているが、死亡届が出された人は行方不明者ではなく死者として数えられるから、実際には、もっと多い。萱浜だけでも、まだ20人が見つかっていないと上野さんが言う。

「その人たち、みんな見つけてあげたいよ。家族が待ってるでしょ。萱浜だけじゃなく雫（しどけ）や小浜も捜しているよ。朝5時か6時にはここに来て、やっている。何かやってる方がいい。汗ダラダラかいている方が気持ちがいいし、余計な事考えない。ふと考えてしまう事はあるけど……。悔しくて……。僕は、いい息子じゃなかった。親にありがとうを言った事がなかった。居なくなってから気付く……、親にはありがとうを言いたい。子どもたちにはごめんなさい、を言いたい。自分は子どもを助けられなかった親だと思ってる。自分を責めていこうと思ってる。自殺は考えないけれど、生きたいとは思わない」。

そう言って上野さんは、話し出してからも何本目かになるタバコに火をつけた。タバコの量が増えたという。以前はあまり吸わなかったが、今は日に3箱空にするという。

避難先の茨城県から戻った奥さんと鹿島区の仮設住宅で暮らすが、震災から半年後の9月16日に、赤ちゃんが生まれた。女の子だった。

「生まれたとき、嬉しいのと淋しいのと……、淋しくて泣いたよ。生まれるのを一番楽しみにしてたのが永吏可なんだ。永吏可が言ってたんだよ。天使が下りてきてママのお腹をさすった夢を見たって。そしたら、嫁さんは妊娠したんだよ。永吏可は赤ちゃんを楽しみにしていた。妹が欲しいって……」。

絞り出すような声で言って、涙をこらえる上野さんだった。授かった子は、二人の子どもたちの生まれ変わりだという人も居るけれど、上野さんはそう思えない。上野さんにとっては、永吏可ちゃんも倖太郎くんも、かけがえのない永吏可ちゃんであり倖太郎くんなのだ。会えずに逝った姉と兄から一文字ずつ貰って、倖吏生（さりい）と名付けた女の子も1歳になった。永吏可ちゃん享年8歳。倖太郎ちゃんは、4月からは幼稚園の年少組に通う筈だった。まだ一度も袖を通さなかった制服が、津波を受けなかった2階の部屋に残っていて、上野さんはその部屋をその時のまま残してある。

「僕はね、意地が悪いとこあるから、時々東電に電話するんだ。出た人に聞くんだよ。１０キロ圏内がいつから立ち入り禁止になったか知っていますか？　２０キロ圏内がいつから入れなくなったか知っていますか？って。東電社員誰一人答えられないんだよ」。上野さんの悔しさが、胸に響く。

２０１３年5月にも上野さんは捜索中の小浜で遺体を見つけ、警察に知らせた。新聞には

〝地元の青年が散策中に発見〟と記事が載った。一市民が、あの日から1日も休まず捜索を続けていた事には、一言も触れていなかった。警察の面子を重んじて、〝散策中〟と書かれていた。

政府は原発事故後に20キロ圏内避難指示、30キロ圏内屋内退避を指示した。それによって行方不明者の発見は著しく困難になった。「僕たちは見捨てられた。自分たちでやるしかないから、やっている」。

上野敬幸さんの3月11日は、あの日からずっと続いている。朝が来て夜が来てまた朝が来ても、新しい日は来ない。倖太郎ちゃんを胸に抱く日が来たら、新しい朝が来るだろうか。私は祈る。その朝が、淋しさを抱えたままであっても、どうか、新たな一歩を踏み出す朝であって欲しい。

夢中でやってきたこと

飯舘村から避難して福島市で、「かーちゃんの力・プロジェクト協議会」を起ち上げた渡邊とみ子さんを訪ねた。プロジェクトの事務所は、松川町にあるコミュニティ茶ロン「あぶくま茶屋」にある。

「こんにちは」。扉を開けて挨拶をすると中に居た人たちはこちらを向いて挨拶を返し、席を立ってにこやかな笑顔で迎えてくれたのが渡邊とみ子さんだった。とみ子さんの名前は『たぁくらたぁ』（南相馬市の人びとについて私が「聞き書き」連載をしている季刊雑誌のこと。事務所は長野市にある。この連載の多くは本書に整理・再構成して収録している）編集長の野池元基（のいけもとき）さんから聞いていて、いつか会いたい人だった。また信越放送の野沢喜代さんから、彼女が取材して9月に信越放送のSBCスペシャルで放送された「フクシマを忘れない〜故郷を奪われた人々〜」のDVDが届き、それを見ると、とみ子さんは南相馬の六角支援隊の畑を使っている羽根田ヨシさんと縁のあることも知った。

避難前にとみ子さんが暮らしていた飯舘村は、阿武隈高地の北端に位置して、豊かな自然のなかに在る。標高が高く、たびたび冷害にも見舞われてきたが、「までぇな村づくり」という言葉をキーワードに平成の大合併時にも自主自立の道を選び、村づくりを進めてきた。環境建築家の糸長浩司さんなど研究者の支援も得て、行政区ごとに住民参加の地区計画を作り、かつての米作中心から複合的な農業経営への転換を進め、高原野菜や葉タバコ、花卉、酪農などを進め「飯舘牛」のようなブランド牛を育ててきた。有機農業を手がける篤農家も多く、「日本の最も美しい村」に認定された村には、他所からＩターンで村民となる人たちも少なくなかった。飯舘村出身で、元農業高校の教師だった菅野元一氏は作物の品種改良、採種を研究していたが、こうした中で、とみ子さんも菅野氏や仲間と共に３０年ほど前から「イータテベイクじゃがいも研究会」の代表として、村ブランドの種芋とカボチャの種の育成に努めて来た。カボチャは２０１１年３月に「いいたて雪っ娘（雪っこ）」として品種登録された。

「いいたて雪っ娘」の原種は日本、中国などにあり、それを原原種として、１９９１年に交配親を決めて交配し、その種を日本全国に配布した。そして得られたデータを元に選抜したものを原種として採種し、研究を重ねてきた。採種のための研究を始めてから２０年目の２０１１年３月に、東日本大震災と、それに続く原発事故が起きた。苦労の末の品種登録、商標登録が叶ったのは、なんとその直後の事だった。長年の苦労が実り、その年に栽培採種したものから、販売できる目処がたったばかりの時の原発事故だった。

飯舘村でのとみ子さんは、「イータテベイクじゃがいも研究会」の活動の一方で、２００７年から「までい工房美彩恋人」という加工場を起ち上げ、その工房も5年目に入り右肩上がりに伸びてきていた時期の、原発事故でもあった。

とみ子さんの胸中を思うと、いや飯舘村を思うと、私も悔しさがこみ上げる。

避難後のとみ子さんは、原発災害によって居住が制限された川俣町山木屋、浪江町津島、飯舘村、葛尾村、田村市都路町、川内村など福島県の阿武隈地域の女性農業者に呼びかけて、福島大学小規模自治体研究所と共に「かーちゃんの力・プロジェクト協議会」を起ち上げた。もともとそれらの地域で女性農業者のかーちゃんたちは以前から、より自然に根ざした農法で作物を育て、地元の食材で健康に良いものを作り販売することで地域の活性化にも努めていた。ところが原発事故によって生活の場、仕事の場も失ってしまった。それはまた、それまで培ってきた経験や技術を活かす場を失うことでもあった。「かーちゃんの力・プロジェクト」では加工食品や「かーちゃんの笑顔弁当」を作り販売している。あぶくま茶屋で会ったかーちゃんたちは、誰もが生き生き、きびきびと立ち働いていた。とみ子さんに誘われて、被災後に活動に加わった人たちもいる。

被災後のとみ子さんは「かーちゃんの力・プロジェクト」の会長として、また「イータテベイク」「いいたて雪っ娘」の種の継承者として、これまでよりなお忙しい日々を送っていた。

南相馬市に六角支援隊のビニールハウスや畑ができて、1年が経った。3棟のビニールハウスと9反5畝の畑だが、大勢の人が利用しているので一人が利用できる場所は、ごく限られている。けれどもたとえ小さな畑でも、土をいじり野菜を育てることは、仮設住宅で暮らすお年寄りたちにとって大きな歓びになった。借り上げ住宅に住む羽根田ヨシさんも、この畑の利用者の一人だ。

ヨシさんの自宅は放射線量が高いために居住制限区域となったが、被災前には、九重栗という品種のカボチャを作り、品評会では何度も優勝してきた。ヨシさんのカボチャ作りの秘訣は、湿らせたティッシュペーパーに種を包み、それをビニール袋に入れて腹巻きにはさんで3日ほど温める。そしてポチッと芽が出て来たら、土に植えるのだ。カボチャ作り名人のヨシさんだが、避難先のこの畑では九重栗ではなく、新しい品種の「いいたて雪っ娘」の種を蒔いてみた。一口にカボチャと言っても、種類によって、また土地によって、育て方の勝手はずいぶん変わる。「いいたて雪っ娘」は、種を蒔いても芽が出るのが遅かったのでヨシさんは、「雪っ娘ちゃん、雪っ娘ちゃん、芽を出しなさい」と呼びかけて育てた。芽が出て蔓が伸び、葉が茂り花が咲いたがうまく実を結ばない。そこでヨシさんは、根本を少し傷めて2メートルほどたぐり寄せたら実がついて、一株で12個も収穫できた。これもまたカボチャ作り名人のヨシさんが、体験から編み出した知恵であっただろう。

そうして収穫したブランドカボチャの「いいたて雪っ娘」は、甘くてとてもおいしいカボチャだった。ヨシさんがこのカボチャについて知ったのは、雑誌『家の光』の記事からで、このカボチャを使った料理を供する店とカボチャの種の育成者のことを読み、避難先の畑ではこのカボチャを育てようと思ったという。種の販売者の連絡先は記事からは判らなかったが、載っていた料理店に宛てて注文の手紙を出したら、幸いな事にその手紙は届き、そこからとみ子さんに注文が届いたというわけだった。こうした記事を読んで〝このカボチャを〟とひらめくのも、やはりまたカボチャ作り名人のヨシさんの直感だろう。あるいはまた、原発に大地を奪われた思いを共感する気持ちもあったのではないか。

信越放送SBCスペシャルの中では、とみ子さんがヨシさんの畑を訪ねた場面もあった。とみ子さんにヨシさんの事を話すと「嬉しいですね。『現代農業』の2月号にも〝いいたて雪っ娘〟の宣伝が載って、それで全国からたくさん注文がきたのです。そして種を買ってくれた人から、ずいぶん手紙ももらいました。飯舘では11月頃に収穫していたのですが、お盆の頃に収穫したという人も居て、条件が違うとそんな早い時期でも収穫できるんですね。〃いいたて雪っ娘〃を食べた家族が『こんなにおいしいカボチャ、初めて食べた』と言ったので、また来年も種を送って欲しいという人も居ました」と、とみ子さんは言った。

とみ子さんは「いいたて雪っ娘」の特徴を、①食味が良い、②春先まで保存が可能、③完全無農薬栽培できる、④欠点は皮が硬く切るのが大変と、挙げた。品種登録までの20年の努力も大変な事だったと思うが、原発事故後の避難先でも多くの苦労があった。借りた畑は以前は田圃だった場所なので粘土質で堅く、飯舘村の畑のふかふかの土とはまったく違っていた。堅い土をやっと掘り起こして、高畝にして種を蒔いた。ところが芽が出たらカラスにやられ、芯を摘まれてしまって駄目になり、3割ほどしか収穫できなかった。他家受粉なので200～300メートルは他品種のカボチャを植えてない場所が必要で、そこは借りている畑なので周囲の畑の持ち主にカボチャを植えるならこれを植えて下さいと詫び状とお願いを書いて頼んだとも言う。また、遠野のまごころネットが「種の保存プロジェクト」として、遠野の畑で代理栽培もしてくれて、「いいたて雪っ娘」がどんどん世の中に広まった。そして「イータテベイクじゃがいも研究会」は、2013年1月に解散した。今後は種の育成者が、広めていってくれるだろう。とみ子さんは、そう期待している。

「いろんな事があったけど、私は育種に向かわされていたような気がする。もう駄目だなと思ったときも、なんか道が開けてきたからね。種を育てる苦労も大きいけれど、育成者がその品種を全国に広げるという夢がある。だから続けられた」ととみ子さんは言う。研究会で30年近くかけて「イータテベイク」の種芋と「いいたて雪っ娘」の育成に取り組んできた仲間たちは、原発事故で各地にバラバラになってしまった。心身ともに避難後の苦労はどれほど大きかっただろうと思うが、とみ子さんには研究会の代表としての意地もあった事だろう。じゃがいもの育成では馬鈴薯植物防疫補助員としての職務もあり、大変な努力と根気のいる仕事なのだった。研究会の代表としてとみ子さんは、大きな責任を果たして、会を解散したのだった。

研究会は解散しても、とみ子さんは、「かーちゃんの力・プロジェクト協議会」の会長としてあいかわらず多忙な毎日だが、「いいたて」ブランドのじゃがいも、カボチャがもっと広まっていくことを望んでいる。「植物を育てていて、こんなに過酷な状況でも育ってくれるのを見ると、涙が出てくる」と言うとみ子さんは、原発事故に依り失ったものは大きいが、このことによって日本人は生き方を考え直す機会を頂いたのではないかと考えている。

また、とみ子さんは「かーちゃんの力・プロジェクト」で伝統や食の技を伝えるだけではなく、暮らしの中でその実践をして来た人たちのことを、関わってきた〝人の歴史〟を残したい、書き留めていきたいと思っている。

終始、凛とした声と笑顔のとみ子さんだが、「夢中でやってきたけれど、1年半過ぎていろいろ考えると気持ちの整理がつかない。戻れないと判っていても、自分のなかでキッパリと思い切れない。壁が大きすぎる。原発はやる気をなくす。気持ちを壊す。人間性を変えてしまう怖いものだ」と最後に言った。

笑顔の陰にはどれほどの悔しさ、無念さが秘められていることだろう。その痛みを私も共有していこうと思う。

第6章

生き甲斐づくり――「やる気」の種を蒔く

南相馬市原町区大甕のビジネスホテル六角では、震災後2週間ほど経ったときから、被災者への救援物資支給の活動を続けてきた。

原発事故が起きた翌日、政府は20〜30キロ圏内を屋内退避と指定した。そのために30キロ圏内の物流は途絶えてしまった。ビジネスホテル六角の主人、大留隆雄さんは事故から1週間後に避難先の仙台から六角に戻り、備蓄の食料などを被災した人たちに配っていた。そんな時に、救援物資を運んできた東京からのボランティアグループ「みちのく応援隊」が物資の置き場所を探していると知り、六角を場所として提供すると同時に運ばれて来た物資の配給も始めた。

《産廃から命と環境を守る市民の会》の会長をしていた大留隆雄さんは、避難先から戻って来た会の仲間たちに、物資を配るボランティア活動を呼びかけた。そして今度は《原発事故から命と環境を守る会》（以下、《守る会》）として、被災者支援に取り組んできた。

私が初めてそこを訪ねたのは、2011年の8月末だった。社協で募集していた被災地ボランティアに参加しようと思っての事だった。到着したその日にちょうど、パラグアイからの支援の豆腐と長野県からの野菜、ルーテル教会からのパイナップル缶詰が届いて、六角に集まっていた現地ボランティアたちが仮設住宅に配りに行くのに同行させてもらった。仮設住宅に着くと「こんにちは。大甕の六角です。支援物資を届けにきました」と声を掛け、豆腐と野菜とパイナップル缶詰を配って歩いた。

私はこの時はほんの半日だけ現地ボランティアと行動を共にして、翌日からは地元の社協が募集したボランティアとして作業に関わった。9月になってからもう一度、社協募集のボランティアに参加するために南相馬に行き、着いた日の午後は大留さんたちの活動に加わり、翌日からはまた、社協の作業に通った。だがこの2回ともほんの数時間であったが、《守る会》の皆さんと仮設住宅を訪ね、話を聞くうちに私はこの現地ボランティアと共に動きたいと思うようになっていた。

そして、その後も月に一、二度は南相馬に通った。ここでは、六角に支援の物資が届くと、まず仕分けをする。それが野菜などの生鮮食品であれば仕分けて即、仮設住宅に配りに行く。こうして頻繁に仮設住宅に支援物資を届けるうちに《守る会》はやがて、誰言うともなく「六角支援隊」と呼ばれるようになっていった。《守る会》の活動が公的機関の支援活動と違っていたのは、メンバーが地元の人たちであり、環境問題に深い関心を持っていたこと、また自らも被災者である点が大きいだろう。また公平を重んじるばかりに、公的機関では支援物資などは被災者全員に配るには数が足りない時には、配らないままで置かれることもあるが、六角支援隊では、臨機応変に、それぞれの仮設住宅に順ぐりに配るようにしていた。メンバーの中には、仮設住宅や借り上げ住宅に住む人も居る。そして物資を配りに行く先には、被災前は同じ地区に住んでいたり、被災直後に同じ避難所で過ごした人も居る。《産廃から命と環境を守る市民の会》の活動を通じての仲間もいる。この会のメンバーは、支援を受ける側に居る人たちと同じ場に足を置く人たちだった。私がこの会に心惹かれたのも、その故だった。

六角支援隊と共に物資を配りに仮設住宅に行くと、そこで暮らしているのは、ほとんどお年寄りばかりだった。津波で家族を亡くした人も少なくない。家族は無事でも家を流されてしまった人や、地震・津波の被害はなく自宅は残っているが警戒区域内なので戻れない人たちもいる。子供や孫は放射能被害を避けるためにこの地を離れ家族が離散して、残っているのがお年寄りばかりなのだ。誰もが、失ったものの大きさに打ち拉がれ、先の見通しが立てられない現実に打ちのめされていた。胸を抉られるような話もたくさん聞いた。

「仮設病」のところ（34ページ）で登場した蒔田フサコさん（78）は小浜に家があり、農家だった。数年前に夫を亡くし、息子は役所に勤めていたのでフサコさんと嫁の二人で畑仕事をしていた。二人の孫は小学生だった。あの日、フサコさんは津波が来るというので高台に避難したのだが、そこで嫁と孫二人が橋を渡る途中で津波にさらわれるのを目撃してしまった。嫁は地震の後で孫たちを迎えに学校へ行き、3人で家へ戻るところだった。あのまま学校に居れば無事だったろうに、自分が家に居ると思ったばっかりに嫁は家に戻ろうとしたのだろう。そう思うとフサコさんは、なぜ自分が死なずに3人を死なせてしまったかと、我が身を責めさいなむ。孫たちが通っていた学校が避難所になり、息子とはそこで再会できたが息子の顔を見ても辛く、泣くばかりで容易に話せなかった。今は仮設住宅で息子と暮らしている。昼間はテレビで気を紛らわせているが、夜は睡眠薬を飲んでも眠れない事が多い。辺りが暗くなると、ガラガラゴロゴロズッシーンと、津波の音、瓦礫の流れる音が耳に蘇り、消えない。

仮設住宅に住む人たちがこうした辛い体験を私に話してくれるのも、現地ボランティアが同行していたからこそのことだった。そうでなければ忘れてしまいたい事実を、見ず知らずのよそ者に語りはしなかっただろう。

大留さんからビニールハウス建設計画を聞いたのは、2011年の11月に入ったばかりの頃だった。

「冬物衣料品の支給ももうだいぶ行き渡ったし、これからは支援物資も少しずつ断っていこうと思う。もちろん送ってくれるものは有難く貰って仮設の人たちに配るけれど、今までのようにどんどん送って下さいと頼むのは止めようと思う。それよりもこれからは、心のケアだ。被災者も支援物資を頼るばかりじゃなく、自分たちで生き甲斐を見つけるようにしていかなくちゃ駄目だ。仮設の近くに土地を借りてビニールハウスを作ろうかと思うんだ」。

素晴らしい計画だとは思ったが土壌の汚染が心配だった。また、仮設住宅に支援物資を届けながら、ビニールハウス建設計画を話すと「いいねぇ」という人も居たが、「除染しなきゃだめだべ」と危ぶむ人も居た。自分とは関わりのない人ごとのように聞く人や、物資をもらえるのだから今更自分で畑仕事はしたくないという声もあった。気乗りしない声を聞く事も多かった。

12月になって訪ねた仮設住宅では、寒くて外へ出るのがおっくうで一日中家の中で過ごすという人も多く居たが、家の中で過ごすと言っても狭い居住空間で、こたつを置けば歩く隙間もない部屋なのだ。それでも起きて過ごしているならまだ良いが、寒いので朝になっても布団にもぐって過ごしているような人も居た。仮設住宅の住人は農家だった人も多く、また専業農家でなくても自分の家で食べるほどの野菜類は自宅の庭で作っていたという人が多かった。被災前には、昼間は体を使って労働していた人たちなのに、仮設で暮らすうちに歩けなくなってしまった人も出てきた。この人たちになんとかして、希望の種を、生き甲斐を届けたいというのが六角支援隊の願いでもあった。

市で土地を提供してくれないか、あるいは休耕地を貸してくれる人はないか、大留さんや支援隊の人たちは八方手を尽くして探した。無償で休耕地を貸してくれる人が見つかったのは年が明けてからだった。鹿島区の旧家の小林吉久さん（74）だ。小林さんが申し出てくれた土地は2ヵ所あり、それぞれ小池第3仮設住宅、寺内仮設住宅からほど近い場所だった。2011年3月に物流が途絶えていた時から支援を続けてくれている「みちのく応援隊」に土壌の線量を測ってもらうと、問題はなさそうだった。

ビニールハウス建設計画が浮かんだ時から資金集めに頭を巡らせていたが、土地が見つかっていよいよ募金に拍車がかかった。1棟に60万円ほどかかるが、出来れば5棟建てたいと思っていた。これまで物資を送ってくれた全国からの支援者に、ビニールハウス建設のための資金援助を乞う手紙を送り、浄財は少しずつ集まって来た。またリサイクルの資材提供の話もあったが、資材の再利用は腐食などの心配もあり新品を発注した。その後、別団体のビニールハウスも建設が決定したという事だったので、当初は5棟の建設を計画していたのだが、3棟で終うことにした。また集まった資金も、この時点では5棟建てるのは夢物語だった。

例年なら雪が降る事もあまりない浜通り地方だが、この冬は寒さも厳しく雪もよく降った。建設予定地の草刈りが出来たのも、2月に入ってからだった。最初の1棟は2月13日に資材が届き、現地メンバーの他に東京や仙台からのボランティアも集めて十数人で建設にかかった。長く使われていなかった畑地だったせいか土中に石が多く、3日がかりで建て上がった。

男性たちが作業にかかっている間、仮設住宅集会所の台所では六角支援隊の女性陣が、昼食のおにぎりや豚汁を作っていた。私は集会所に集まってくれたお年寄りたちの話を聞き、またこちらからは、ビニールハウスを建設中である事を伝えた。それを聞いたお年寄りたちの声は弾んで「初めは葉ものがいいな」「そうだな。育つのも早いしな」「やぁ、楽しみだな。種蒔けば、芽が出るのが楽しみ。芽が出れば、双葉になるのが楽しみ。双葉になれば、伸びるのが楽しみ。毎日朝起きて畑へ行くのがホントに楽しかったもんな」。かつての日々を思い出しながらも「だけんど1年間畑をしなかったから、体がなまって動けねぇんでないか」などと笑いあった。また「ナスやキュウリは種からじゃ大変だべ。苗を買わなきゃ駄目だな」「トマトなら佐藤さんに教えてもらえばいいな」と、次々に声が上がった。佐藤さんは同じ仮設に住む人で、被災前はハウスでトマト栽培をしていて、広く出荷してもいた。「百姓は土をいじってねぇと、元気が出ねぇのよ」「んだ。畑に居なきゃ陸に上がった河童（かっぱ）だもんな」。

話の輪の中には、フサコさんもいた。みんなの弾んだ声を聞きながら、夜には睡眠薬を飲まないと眠れないというお年寄りたちが、ハウス内に仕切られた半坪ばかりではあっても自分の畑で精を出し、汗をかいて心地よい疲れで眠れるようになる日を思った。

1棟分は株式会社モンベルからの資金援助を受けて追加発注した2棟分の資材も届き、それは業者に建設を頼んだ。そのための日当は必要だったが、2棟のビニールハウスがわずか3人の作業員で1日で仕上がった。こちらの畑は土もふかふかで石ころがなかったせいもあるが、最初の1棟を苦労して建てた男性たちは「専門家は違うな」と感心しながらも「いや、汗を流した事に大きな意味があるんだよ」と慰めあいもした。

ビニールハウスを建てた畑の他に、更にもう3ヵ所の畑を借りることが出来、3月12日、また東京や仙台からのボランティアも集まって、現地ボランティアや仮設の住民たちと共に、草刈りをした。この作業に仮設住宅の人が加わったのは、嬉しい事だった。これまでの経過を見ていて、心が動いて来たのだろう。翌13日には、前夜に六角に着いた『たぁくらたぁ』取材班が畑とビニールハウス内外の線量を測ってみた。畑もハウスも周囲の道路や草地の4分の1程度の線量で、そこでの作業も、またそこで育てた作物を食べる事も問題が無いことが改めて判り、心底安心したのだった。

六角支援隊は、草刈りを済ませた総面積9反5畝の5ヵ所の畑と、4・5メートル×7メートルのビニールハウス3棟、また鍬（くわ）や鋤（すき）などの農具を提供したが、まだこれから肥料と、利用者の求めに応じての種や苗を提供するつもりだ。大留さんに電話すると「今、鹿島の畑から戻ったところ。肥料撒きに行ったんだけど、今日は風が強くて大変だった。もうね、仮設からみんなが見に来るんだよ。自分の場所に杭打って縄張ったりもしてるの。みんなやる気になってるよ」と声が返った。六角支援隊は、「やる気」の種を蒔いたのだ。

4月、桜が咲く頃にはビニールハウスの中では小松菜やホウレンソウ、水菜が青々と育っているだろう。仮設住宅の家々の台所では採りたての青菜が刻まれ、みそ汁にお菜にされていくのだろう。露地の畑には、カボチャの種が蒔かれているかもしれない。それともジャガイモが植えられているだろうか。

大留さんは言う。「国も行政も専門家もNPOも、僕らのような素人が考えつく事を、なぜ思いつかないのか。なぜ率先してやろうとしないのか」。私が公的機関のボランティアよりも六角支援隊の活動への参加を選んだ理由が、大留さんの問いへの答えではないだろうか。

試験田

年が明けて2013年1月、ビジネスホテル六角に行くと、六角支援隊の大留さんは私に「一枝さん、今年は田圃をやるからね。手植えでやるから、ボランティアを集めるように頼むよ」と言った。南相馬市は、被災の年はもちろんだったが、翌年も田圃に作付けはしなかった。この年も作付けをしない方針と聞いていたが、試験田としてならできるのだそうだ。

そして、試験田の場所探しとなった。12年に畑やビニールハウスを始めた時に、土地を貸してくれた農家の小林吉久さんに相談したところ、小林さんは向かいに住む高野恒夫（たかのつねお）さんの休耕田が格好の場所だとして、高野さんを紹介してくれた。小林さんを介してそこを借りることになったが、まったく格好の場所だった。南相馬市の仮設住宅は鹿島区に何ヵ所かあるが、一番戸数が多いのは小池長沼仮設住宅だ。その小池長沼仮設住宅の西隣にあって道路に面した5反1畝の田圃だ。

毎年米を作っている田圃でも、刈り入れが済んで冬を越した田に苗を植えるには、幾行程もの準備がある。まして2年間使わずにいた、放射能の降った田だ。通常の作業の他に、放射能除去対策の作業もあるだろうと、新聞からの耳学問で私は思った。それらの準備はすべて、小林さんがしてくれることになった。当初は苗を育てるのも小林さんにお願いすることになっていたが、小林さんの近くの米作り農家の小澤清美さんが自分の田でも、試験田として田植えをすると聞いて、苗作りは小澤さんに一緒にしてもらう事にした。そして田植えは、5月5日にすることに決めた。

大留さんに「田植えをするボランティアを集めて」と頼まれ、私自身もその一員になるつもりだが農作業の経験がない私は、田植えに至るまでにどんな作業をどんな手順でやるのかを知っておきたかった。それで4月になってから、小林さんを訪ねた。3月にも一度小林さんの家に行ったのだが、ちょうどその日小林さんは、田圃に撒くゼオライトを農協に取りにいっていて留守だったのだ。小林さんに会ってそのことを言うと、1反につき50キログラムのゼオライトが必要で、それを取りに農協に行っていたそうだ。小林さんの田圃はこの年も田植えをしていないが、今回の六角支援隊の試験田で田植えをするにあたって、農家としてどんな思いを抱いているだろう。具体的な作業について伺う前に、まず私は小林さんの気持ちを訊ねた。

「百姓は、人間的職業ですよ。自分の健康管理にもいいけど、人間だけでなく自然界、環境の健康にも心を配る。経済効率を考えてるだけではいけないのが、農業です」。
この言葉に私は、原発の存在が脅かしてきた人間らしい営みを思った。この時、自分の田では米作りをしなかった小林さんだが、六角支援隊の試験田に大きな期待を寄せた。数日前には、2日かけて水路の手入れをしたところなので、田圃に水を入れる前に水路にしばらく水を流せば、表面の放射能も流されるだろうと言った。収穫後の検査で安全な米かどうかが判るが、結果が心配だから米を作らないのではなく、判らないからやってみるという逆転の発想での試験田だという。無闇に安全を言い立てる事は良しとしないが、事実を見ないでの風評被害もまたおかしいと思うと言う。ここで試験田をする事で、地域の農家が、気持ちを前に向けていけるようになる事を望んでいる。

1週間後が田植えだという日に、六角支援隊の鈴木時子さんから電話を受けた。苗の育ちが遅くまだ短いため、手植えは無理なので機械植えにするという電話だった。当初の計画では仮設の人たちとボランティアも一緒になって、みんなで並んでお祭りのように手で植えよう！と考えていた。個人の田圃ならきっと、苗の生育状態を見て田植えの日を決めるのだろうが、この試験田はボランティアに呼びかけているので、日取りの変更はできない。予定通りに決行だ。

鈴木さんが電話をくれた日より少し前に小林さんは、ゼオライトとカリ肥料を田圃に撒いた。ゼオライトもカリウムも放射性物質を吸着するので、作物への移染を防ぐ効果があるとされている。小林さんが撒いたゼオライトは、北会津の粘土から作られたものだそうだ。また、試験田は2年間耕作していなかった土地で、休耕地は地味が豊かになっているので、肥料を多く撒き過ぎると稲が倒れてしまうそうだ。そのために施肥(せひ)は少量にしなければならず、カリ肥料は2割程度に控えたと言う。放射能が降った後の試験田では、こうした肥培管理もまた通常とは異なってくるだろうから、経験と勘が試されもすることだろう。いや、これは、〝放射能との闘い〟の始まりなのかもしれない。

5月5日は、文字通り五月晴れの気持ちのいい朝で始まった。朝9時に田圃に着くと、既にみんなが集まっていて、田植えの準備が始まっていた。小林さんがゼオライトやカリ肥料を撒いた後で代掻きをした田には、水が張られて、青空を映していた。小澤さんが運転する田植機はその角隅に入っていて、マット苗を積み込むばかりだった。畔上(あぜうえ)の道路から見守るのは、仮設住宅に住むおばあさんや近所の農家の人たちで、仮設住宅のおじいさんたちは軽トラックの荷台から育苗(いくびょう)箱を畔に運び降ろしている。畔に置かれた育苗箱の盆のような箱を外して、ビッシリと稚苗(ちびょう)が詰まったマット苗を田植機にセットしているのは、仮設のおじいさんやボランティアたちだ。女性たちは空になった育苗箱を、畔の水路で洗っている。

小澤さんの運転する田植機は大きなエンジン音を立てながら、田圃に苗を植えていく。緑のマット状だった苗が数本ずつ、等間隔に間を空けて植わっていくのを見ると、この田植機を考案した人に拍手を送りたい気持ちになった。10センチほどの稚苗がまっすぐに立って、田圃にお行儀よく並んで植えられていくのだった。

畔に立って腕組みをして眺めている大内さんに、「試験田ですけれど、こうして2年ぶりの田植えの風景を見て、どんな気分ですか」と尋ねた。大内さんの自宅は原発から20キロ圏内の小浜で、津波の被害は受けておらず、条件が整えば住んでいた場所に戻れる地域だ。大内さんは「手植えでこれだけの田圃をやるのは、大変な事だよ」と言ったが、私は問うた事への答えが聞きたくてもう一度、「去年の畑とハウスの時には、最初は乗り気ではなかった人たちも、畑の草取りがされて畝が作られたり、ハウスが建つのを見たら俄然やる気になって、種の注文が出たりしました。きょうは手植えではなく機械植えですが、どんな思いでご覧になっていますか」と聞いた。大内さんはじっと田植機の動きを見やったまま、「ハウスも畑もままごとみたいで、オレはやる気はしなかった。野菜と米は違うよ。米は生活がかかってっからな」と言った。大内さんがハウスや畑をままごとみたいと言ったのは、個人が使える広さを言ったのだ。専業農家だった人から見たら、ほんの一坪ほどの貸し農園、あるいは市民農園とも言うだろうか、それはままごとのように思える事だろう。だが「米は生活がかかってっからな」に私は、この試験田の稲の生育を祈る大内さんの気持ちを思った。

試験田の話が出るより1年前の初夏のことだった。根本内さんがこんなことを言った。

「おれさぁ、この前用事があったんで栃木の方へ行ったんだ。車走らせてたんだけど、休もうと思って止めて窓開けたんだ。したらさぁ、カエルの声が聞こえたんだ。あれぇ、カエルだ。カエルが鳴いてんだって思ったら、涙が出て来ちゃった。そうかぁ、今はカエルの季節なんだって思ってね」。

彼の住む萱浜は、原発から半径20キロを辛うじて超えた辺りだ。彼の住まいは無事だったが、萱浜は津波の被害が大きく、亡くなった人も多い。田畑もすっかり波をかぶり、その後は草の原だった。田圃もない辺りには、カエルの声も聞こえない。根本内さんは、更に言った。

「南相馬には、四季も無くなっちゃったんだよ。春になっても山菜採りに行けないし、秋になっても茸も採れなくなっちゃったんだ」。

田植機は5反1畝の田圃に、苗を植え終えた。だがせっかく田植えをするつもりできたボランティアたちは田圃に入って、田植機では植えられなかった端の方に、苗を植え始めた。私も苗の束を左手に握って、田圃に入った。3、4本の苗を束にして植えていくが、泥田から足を引き抜くのは大変だった。そんなボランティアたちの様子を見ていた大内さんだが、居ても立っても居られないという風に、稲の束を手にして田圃に入った。スッ、スッとリズミカルに植え込んでいく手さばきに、田の中に突っ立ったままで私は見とれていた。だが、田植機で植えた後に残ったわずかな空間だ。すぐに植え終わってしまった。田圃から上がった大内さんは、私が田植え靴を脱いでいる間に仮設の住まいに戻っていってしまった。

翌朝、六角支援隊の荒川さんが田圃の様子を見に行くと、もう既に何人かのお年寄りたちが水田を眺めていたと言う。大内さんもまた、じっと腕組みをして眺めていたそうだ。あじさいの花が咲く頃には、辺りには賑やかにカエルの声が聞こえるだろう。

大留さんから「田植えをするからボランティアを集めて」と言われた私だが、一緒に行ってくれたボランティアは素晴らしい人たちだった。東京近郊で活動している、市民グループの若い方たちだった。体に害のない良い産物をと、生産者と消費者を繋ぐプロジェクトグループで八王子の田中拓哉さんと宮元万梨子さんや、子どもの未来のためにと食品などの放射線測定をしている国分寺の「こども未来測定所」の石丸偉丈さんや東中野のポレポレタイムスの人たちだった。土壌や水、畔の雑草などを採って帰り、測定してくれるという。そして彼らは今後もこの田圃に関わりながら、測定結果を知らせると共に、地域の住民がその結果をどう活かしていけるのかについても話し合いの場を持ってくれるという。若い世代がこうして取り組んでくれることが、仮設住宅や近隣で暮らすお年寄りたちに、大きな希望になるだろう。

仮設住宅の縫いぐるみ作り

被災した2011年の冬、仮設住宅に住むおばあちゃんたちの中には、心も萎えて朝になっても布団から起き出そうとしない人も少なくなかった。だがそんな中でも、毛糸で帽子やチョッキを編む人たちもいた。帽子もチョッキも防寒に役立つし、また編み棒を持って手を動かすことが、気持ちを紛らわしてもいるようだった。それを見て刺激されたのか、少しずつ編み物をする人が増えてきた。六角支援隊の鈴木さんからそれを聞いて、支援物資として毛糸を集め、仮設住宅に届けた。するとおばあちゃんたちは、支援者たちへの御礼にするのだと言って、アクリル毛糸でせっせとタワシを編んだ。その頃、東京では岩手県の被災者が作ったアクリルタワシが商品になって、被災者支援活動として売られていた。だが南相馬のおばあちゃんたちは、それらを売ることは考えていないようだった。

被災から2年目の仮設住宅の集会所では、折り紙やパッチワーク講習会なども開かれて、講習会はいつも盛況のようだった。前年の暮れには、編み物をする人がぽちぽちいた程度だったが、この頃には何人もが編み物の他に、講習会で習ったさまざまな手芸品を作り出していた。彼女らの住まいを訪ねると、狭い部屋の壁や棚いっぱいに、自作の品が置かれていることも少なくなかった。「わぁ、たくさん作りましたねぇ」と感心する私にお土産だと言い、また友達にもあげてと言って幾つか持たせてくれることもあった。ある日訪ねた仮設住宅では、おばあちゃんばかりでなくおじいちゃんも同じように作っていて、老夫婦の作品が部屋中に溢れている家もあった。おじいちゃんは「畑もやれねえし、することがねえもんだからな」と、照れたように笑った。

そんな様子を見ると、作るのを楽しんでいるようだったし、また手を動かして何かを生み出すことが、仮設暮らしの日々の中で慰めにもなっているようだった。私は、仮設住宅で暮らすお年寄りが作ったものを多くの人の手に渡したいと思い、またそこでの暮らしも知って欲しかった。でも、もしこれらの作品を売ろうとするなら、ある程度規格化されていないと商品には出来ないだろうし、いつも同じものを作り続ける必要があるだろう。それでは楽しみに作る、手慰みに作るということからは、外れてしまうだろう。それなら、縫いぐるみを作ったらどうだろうと思いついた。縫いぐるみなら出来上がったものの巧拙は、作り手の個性になると思ったのだ。型紙なしで、古セーターやTシャツを利用して簡単に作れる人形作り講習会を開くことにした。私が個人的に発信しているメールマガジンの「一枚通信」で、材料にする古セーターやＴシャツの提供を呼びかけた。通信を読んだモンベルの辰野さんが、フリースの布をたくさん提供してくれた。

初めての縫いぐるみ講習会は２０１３年の４月、小池第３仮設住宅で開いた。モンベルから送られてきた布地はとても大きかったので、予め六角支援隊の鈴木さんと荒川さんが６０センチ四方くらいに切っておいた。中に詰める綿と、目にするボタンは私が用意した。講習会は９時半からと伝えていたのだが、９時過ぎにはもう十数人が集会所に集まっていた。私は見本に作った縫いぐるみ３体、くまさん、うさぎさん、おさるさんを手に取ってもらいながら、作り方を説明した。型紙が無いことを初めは不安に思う人もいたようだが、私が作るのを見ながらそれぞれ布をカットし、作り始めた。手の早い人、遅い人といて、私はあっちのテーブルこっちのテーブルと、自分の作っているおさるさんを縫いながら持ち歩いて、作り方を伝授した。

ボディが出来上がると、それだけでもう、同じ材質の布で同じやり方で作ったのに、なんとまぁ個性豊かだこと！　ずんぐりむっくりのおデブちゃんやひょろりとした子や、さまざまだった。更に手やしっぽが付き、フェルトで鼻を、糸でボタンの目を縫い付けていくと、あっちでもこっちでも、笑い声が沸いた。とぼけた顔のうさぎさんや、ぼーっとしたおさるさん、威張ったようなくまさん……。楽しそうな笑い声は絶えなかった。

全員が作り終えた時に私は、「今日みなさんが生んだ縫いぐるみには名前をつけて、可愛がってあげてください」と言った。すると一番に完成させていた黒沢ヨシ子さんは、うさぎの胸に「まゆみ」と書いた名札を付けて見せてくれた。「まゆみちゃんって付けたのね」と私が言うと、黒沢さんはポツリと、「娘の名前なんだ。死んじゃったけどね」と言った。それ以上言わず、私も聞けなかった。きっと、津波で亡くされたのだろうと想像し、小学生の子どもが入学式で胸に名札を付けたように、自作のぬいぐるみに「まゆみ」の名札を付けた黒沢さんに、深い悲しみを感じ取った。

次の日の朝、忘れ物を取りに小池第3仮設の集会所に行くと、黒沢さんや他にも何人もの人がいて、昨日と同じように縫いぐるみを作っていた。昨日参加できなかった人も居て、その人たちには昨日の人たちが教えてあげていた。みんな楽しそうだった。

それから何日か経って、南相馬から段ボール箱が3つ届いた。開けると、どの箱も縫いぐるみでいっぱいだった。手紙が添えられていて、作り方を教えてもらったお礼だと書いてあった。布地を支援してくれたモンベルの辰野さんにも送ったと書かれていた。

箱から出した縫いぐるみはどれも個性豊かで、くまだか、うさぎだか判別がつかず、くまうさぎと呼びたいものや、さるくまみたいなものもあった。意図してそう作ったのではなく、そうなってしまったとしか思えず、よく言えば「個性豊か」だが、縫い目も不揃いだし不細工でもあった。けれども逆に、それがなんとも素敵な味を出していた。思いついて私は、人形たちにたすきを掛けたりゼッケンを付けて、そこに「原発いらない」とか「家族で一緒に暮らしたい」「サイカドウハンタイ」などの文字を書いた。日頃仮設住宅で思いを聞かせてもらったことを言葉にして書いた。すると人形たちが、その思いを語りかけるようだった。

友人のダンスグループの公演会の時にそれらの人形を並べ、「南相馬の仮設住宅に暮らしているおばあちゃんたちが作りました」と書いたカンパ箱と一緒に置いた。すると、どうだろう！ ダンスの公演を見に来た人たちが「あらぁ、可愛い！」などと言って、次々にカンパ箱にお金を入れて気に入った人形を抱き上げてくれたのだ。中には「私がこの子を選んだんじゃないの。目が合ったこの子に、私が選ばれてたの」などという人もいた。

いま街では、わざと可愛げのない憎らしげな表情の縫いぐるみも商品として売られているが、おばあちゃんたちが作ったそうした作為のない縫いぐるみは、誰言うともなく「ぶさ子ちゃん」と呼ばれるようになった。

それからもまた段ボール箱いっぱいの縫いぐるみが送られてきたし、次に行った時にもまた、たくさんの人形が私に託された。作ってくれた人たちに、値段をつけずにカンパ箱を置いて求めてもらった話をし、集まったお金でまた材料を買って届けた。糸を通すのに苦労する人もいたので、糸通しの道具も買った。ぶさ子ちゃん人形は送られてくるたびに、何かしら新しい工夫が凝らされていた。帽子を被っていたり、リボンを胸に付けていたり、ズボンをはいていたり、赤ちゃんを抱いているものもあった。作り手が、楽しんで作っていることが思われた。中でも黒沢さんは一番熱心で、たくさん作って届けてくれた。「夜ね、眠れない時なんかにはいろんなこと話しかけながら作ってるの。作ってる時はいろんなこと思いだしたり考えたりしてるんだよ。作ってると、楽しいんだ」と言った。

縫いぐるみの目のボタンを届けに、8月に小池第3仮設に行った時のことだ。集会所で管理人の星見さんと話していると、黒沢さんが縫いぐるみの入った紙袋を持ってやって来た。紙袋の中身は、布で作った人参を手にぶら下げたり、布の花を持ったりしている人形たちだった。集会所はちょうど何の催しもない日だったので、ゆっくりお茶を飲みながらお喋りが始まった。日頃は無口な黒沢さんだったが、この日は震災当日のことや子どもの頃のことなど、たくさん話してくれた。

「子どもの頃は靴なんかなかったから、学校行くのもわらじだったよ。一里も歩いて行くんだから、一足じゃ駄目なんだよ。学校につく頃は、履いて出たのは駄目になっちゃってるから、帰りに履く分を鞄の脇に結わえ付けて出かけんの。家は貧乏で子だくさんだったから靴だの服だの、買ってなんか貰えなかったわよ。中学出たら奉公に出されて、奉公先でも学校に行くとき着てたセーラー服着てたもんだから、そこで服を買ってくれてね、嬉しかったわぁ。

あの頃はご飯のおかずだって、漬け物くらいだもの。あの頃のことを思えば、なんだって我慢できる。津波でみんな流されちゃって、何にもなくなっちゃったけど、支援物資で食べる物も着る物も貰えて。あの頃を思えば、我慢できる。

あの日、買い物に出ていたら地震で、揺れがちょっと収まった時に帰ろうと家に向かったら、津波が見えたのよ。真っ黒い壁みたいな、波じゃなくて壁みたいだった。家に帰れないって逃げたのよ。乗ってる軽トラックの後ろから津波が追いかけてくんだから……」。

黒沢さんの話は続いた。お姉さんの家に行き、軽トラックの荷台に布団を積んでお姉さんを助手席に乗せ、避難所になっている孫の通う小学校に孫を迎えに行き、避難所は既に人でいっぱいだったので、軽トラックでその夜を過ごした。翌日から避難所では食べるものがなく、だがそこに米があるのを見て炊き出しのおにぎり作りを先に立ってやってきた。その後ほとんどの人はバスで別の避難所に移っていったが、ご主人と娘さんが見つからない黒沢さんは、そこに留まった。ご主人の遺体が見つかったのは被災から1ヵ月後のことだった。娘さんは、更に半年後にＤＮＡ鑑定で遺体が判明した。

その日、1939年生まれの黒沢さんは、生まれてから被災までの、そして被災した日からこれまでの長い長い人生を語ってくれた。そして最後にこう言った。「今まで人形作りなんてしたこと無かったけど、ここに来てそれも覚えたんだわ。被災前は毎日忙しくって、ご飯作って畑に行って、洗濯したり掃除したりしてっと、針なんか持つこと無かったもんね」と言った。

この日の黒沢さんの話は、誰もが初めて聞く話だった。

仮設からの帰り道で、荒川さんは言った。「黒沢さん、ようやく話せるようになったんだね」「ホント、そうね」と答えながら私は、もしかするとぶさ子ちゃんが、黒沢さんのカウンセラーになっていたのかもしれないと思った。

第7章

Ｊポップが流れても

南相馬市の小高区は原発から２０キロ圏内にあり、２０１２年の４月１５日までは、警戒区域に指定されていて、避難した住民も自由に立ち入りができなかった。区域再編がされて、同年４月１６日から日中は入れるようになったが、夜間の立ち入りは制限されていたし、インフラも整っていなかったので、まだ居住はできなかった。

これは、２０１３年１１月に行った時のことだ。

崩れた建物は撤去されて瓦礫もだいぶ片付いていたが、見かける人は工事関係者ばかりで、住民の姿はなかった。駅前の通りを行くと、どこからかＪポップが流れてくるのが聞こえ、音源を辿ると広い駐車場の奥に電気がついた建物があり、中には人の姿があった。入口に「小高浮舟ふれあい広場」と表示があった。そこはまだ新しい建物だった。それまでも何度か小高を訪ねていたのに、こんな建物に気付かずにいたのかと思った。私たちが近づくのを見て、中にいた男性が戸口を開けて招き入れてくれた。

そして彼は、その施設について説明してくれた。

そこは２０１０年に地区の商工会が「安全安心の街作り」と「地域の活性化、高齢者と児童の交流の場の提供」などを考えて建てたものだったという。真新しく見えた建物だったが、２０１２年に私が初めてこの前を通った時には既にここに在り、奥まったところに建っていたので、その後も私が気付かなかっただけだったのだ。だが実際、中に入ってみても、まるで真新しい建物に見えた。

彼が「これを見てください」と言って示した、右手の部屋の前にかかった白板には、２０１１年3月の行事予定表が記されていた。日付の3月１０日までの分は、日付の欄に×印が書かれていて、既に終了していたことを表していた。驚いて見入る私たちに男性は、「この辺りは地盤が緩いということで、建設時に基礎工事をしっかりとやっていたお陰で、この建物はまったく無傷でした。この白板も当時ここに掛かっていたままの状態で残っています」と言い、また奥の畳敷きの部屋を指して「あちらの部屋は児童館として使われていましたから子どもの本などが棚に並んでいますが、あれも当時のままです」と言った。

白板の前からテーブルに戻った私たちに珈琲を入れてくれながら男性は、「買物に来たお母さんたちが、ちょっとここに子どもを預けてゆっくり買物したり美容院に行ったりしている間、子どもたちはあそこで本を読んだり遊んだりしていたのです」などと言った。

淀みなく説明してくれた男性は、Cさんという名だったが、商工会の人ではなかった。東京電力の社員だった。商工会の施設になぜ東電の社員が、といぶかる私たちに彼は言った。「商工会のご協力を得て、開設当初からここでは東電の広報活動をしていました。2012年4月から小高区に入れるようになり、商工会でも地元の方がいらした時の拠り所になるようにと、1年後の今年の4月にここを再開したのです。私もその時から本社から派遣されてここに詰めています」と言った。地元の出身かと問うと、そうではなく千葉から単身赴任で来ていると言う。ここで宿泊はできないから、福島市にアパートを借り、そこから毎日通うのは大変なので、普段は原町区のビジネスホテルに宿泊して通っていると言う。

「住民の方から、東電のせいで家に住めなくなったと苦情を言われないですか?」と問うと「小高の人は優しいですから、今日で8ヵ月になりますが、今まで一人だけしかそういう方はいらっしゃいませんでした。来訪者は多い日で7、8人、少ない日で2人くらいですが、苦情を言われたその一人の方も小高に住んでいる方ではなく、実家が小高で、結婚して埼玉に居る方です。ご家族が埼玉のその方の家に避難されて来て、それで苦情を言ってこられました」と、Cさんは答えた。「東電社員のあなた自身が、被災地の小高へ赴任するのに、葛藤はありませんでしたか?」と聞くと、「私は無頓着な性格ですから、あまり感じませんでした」と言うので、「ご家族は反対しなかったですか?」と重ねて聞くと、「一度、家内と子どもたちを呼んで案内しました。娘は22歳ですが、津波の被害を見て相当ショックを受けたようでしたが、私がここで勤務していることに関しては、家族は理解しています」と答えた。また「東電の社員たちも何度かグループでここに来て、被災者のお宅のお掃除や瓦礫の片付けなどボランティアをして、住民の方達からは感謝されています」とも言った。

だが彼は、原町区のビジネスホテルから小高区の駅前にあるここに毎日通いながら、他の被災地には行ったことがないと言う。浪江町にも? と尋ねると「許可証がないと入れませんから」と言う。そんなことはない。私も何度か浪江町には行った。友人を案内しても行った。浪江町に入域許可が必要になったのはこれより後で、この時期は許可がなくても入れた。行けば判るが、請戸などはまだ漁船がゴロゴロと転がったままなのだ。原発事故がなければ、それらは、とうに片付けられていただろう。請戸からは事故を起こした東京電力福島第一発電所の4本の煙突が、はっきりと見える。小高のこの場所からは、それは見えない。浪江町に行っていない彼は、だからそれも目にしてはいない。

収束作業の進行や汚染水の状況を訊ねると、毎日作業は続けられているし、汚染水はブロックされていると言う。それが彼の本心かどうかは判らないが、立場上はそうとしか言えないだろうとは思った。宿舎と勤務先を往復するだけで、他を見ようとしないのは彼の〝無頓着〟な性格の為なのか、あるいは、余計なことはするなという本社からの業務命令なのか、もしかすると彼の〝無頓着〟な性格を見込んで派遣されたのか、私には判らない。だがCさんはとても礼儀正しく、丁寧な人だった。けれど私は、何か血の通わないロボットを相手にしているような心地だった。

翌日、原町区の北原にある「松本オート」を訪ねた。松本進さんと優子さん夫婦は、ここで自動車修理と中古車販売を営んでいる。震災前は小高区で暮らし、そこで営業もしていたが、原発事故後は避難生活となり、ここで仕事を再開したのは、2012年7月のことだ。

小高では優子さんの母親の正枝さん、娘と息子の5人で暮らしていた。今は鹿島区千倉の仮設住宅で正枝さんと3人の暮らしだ。小高では自宅の敷地内に営業所もあったが、ここで再開してからは仮設住宅から通う毎日だ。優子さん夫婦はいずれは営業所の敷地内に家を建てて小高に居た時のように職住離れずに暮らしたいと考えている。ここでも、以前と同じように従業員を置かずに夫婦二人だけでやっているので、仕事だけで精一杯で他所へ出かける余裕はない。家と営業所が同じ場所になれば、もう少し時間的な余裕ができるのではないかと考えている。「母は小高に戻りたいようなんですよねぇ。母だけ戻すのもどうかなぁと思って……」と、優子さんは言う。

実は私は、優子さんに会うよりも10ヵ月ほど前に、前述（58ページ）したように正枝さんに会って話を聞いていた。正枝さんからは、「息子が、いいえ娘の婿さんだから本当の息子じゃないけれど、とってもしっかりして社交的な人なんですよ。息子が原町で店を再開してそこに家も造るって言うから、そうしたら私はそこで庭に花でも植えようかなって思ってるの。小高では畑もやってたけど、そこでは畑なんかやるほど広くないだろうからね。でも花くらいは植えられるでしょう」と、そう話すのを聞いていた。

私が以前に正枝さんから聞いた話を伝えると優子さんは、「え、そうですか。母はそんな風に言っていましたか。母が一緒に住んでくれたら、少しの間は母に留守番頼んで外に用足しにも行けるんだけど。一緒に住む気になってくれてるんですか」と、逆に私は問い直された。問い直されても、私は自信を持って正枝さんの気持ちを代弁することはできない。正枝さんも、その時々で思いは揺れているだろう。小高の家は地震の被害もなく、海からは離れていたので津波も受けていない。家はそっくり残っているのだが戻れず、仮設暮らしをしているのだ。昨日会ったCさんは、こんなふうに揺れ悩む被災者の気持ちを判っているだろうかと思った。

優子さんに、昨日の小高区浮舟ふれあい広場でのことを話した。そこに東電の社員が居たことに優子さんも驚いたようだった。そして「小高には東電で働いてた人たちも居ましたからね」と言った。Cさんが「東電の社員がボランティアで掃除に入った」のは、もしかすると東電に勤めていた人たちの家だったかしらと、私はチラと思った。だが優子さんは、そんなつもりで言ったのではなかった。地域やお客さんの中には東電に勤めていた人たちが居たから、思っていても原発反対を表せなかったと言うのだった。

それからもっと月日が経ってからのことだ。福島県の有機農業ネットワークに関わる人から聞いた話だ。「東電の社員たちの中には福島の農家から農産物を定期的に買っているグループや、農家さんに行って、草取りや作業などを手伝っている人たちが居るようですよ。放射能被害について、農家さんと一緒に考えようとしている人たちが居るようですよ」と。

そうかもしれない。いや、きっとそうだろう。私がCさんに感じた〝慇懃無礼〟は、もしかすると私の先入観がそう思わせてしまったことなのかもしれない。だがそう思うと、ふと立ち止まって前に歩み出せない私が居る。

日頃私は脱原発を唱え、毎週金曜日に官邸前で行われている反原連の集会に参加している。「原発反対！」「東電解体！」などを叫んでもいる。脱原発を言うのは原発をなくせば良いと言うだけの主張ではなく、電力だけではなく他の物も、できるだけ地産地消で、持続可能な暮らしを想い描いてのことだ。「東電解体」をシュプレヒコールしながら私は、そうなった時の東電社員の暮らしを何か考えただろうか？　否だ。持続可能な暮らしを言うなら、そうしたことも考えていくべきではないだろうか？　優子さんの思いも、そこにあったのではないか？

先週の金曜日も私は、「原発いらない！」「再稼働反対！」をシュプレヒコールしながら、頭の中ではぐるぐると「持続可能な暮らし」という言葉が回っていた。多分、この先もずっと、私はそれを考え続けていくだろう。

「家族一緒に暮らしたい」は、間違いなのか？

南相馬市鹿島区の寺内塚合（つかあい）仮設住宅には原発から20キロ圏内の小高区に自宅がある人たちが暮らしている。ここは他の仮設住宅とは違って、集会所の他に談話室が設けられている。談話室は親睦茶会などに使われていたが、次第に決まった何人かが毎日ここに集まるようになった。後で述べる天野さんや菅野（かんの）さんたちの6人で、ここに入居してから知り合った仲間たちだ。

談話室は開設当初は就職相談室としても使われていたが、やがて就職相談は開かれなくなった。集会所は、催しの会場として使われることも多いが、談話室は催しに使われることはなかったから、もっぱら天野さんたちが集い、今では6人の〝工房〟になっている。

毎朝9時になると天野さんが部屋の鍵を開け、時々は個人的な理由で誰かが欠けることもあるが、だいたい毎朝みんな定時に集まる。昼休みは自宅に戻り、午後にまた集まり夕方に帰る。日曜・休日以外の毎日がそうなので、まるで会社みたいだ。だから私は、最年長の菅野定子さん（84）を〝社長〟、天野ハルさん（80）を〝営業部長〟と呼んでいる。一番若い近野光子さんが72歳で、平均年齢80歳の6人だ。社長以下4人は針を持ったり紙を折ったりで手を動かしているが、なぜか天野さんだけは何もせず、時々みんなにお茶をいれたり、訪ねて来た人の応対をしている。そんな天野さんを〝営業部長〟と呼ぶのは、訪問客たちは、ここで作られた手芸品を買ったり、注文をするが、それらへの応対を受け持っているのが、天野さんだからだ。

〝工房〟の天井に数十個も吊り下げられている紙製の綺麗な薬玉は、両面刷りの色紙を36枚も使って作られている。壁面には信州の御柱祭りを模したように見える人形や、フクロウの縫いぐるみを枝に留めつけたものが、隙間なく飾られている。御柱祭り人形は、フウセンカズラの種を顔にした小さなサルボボ9体を、南天の枝に座らせているものだ。フウセンカズラの種は猿の顔に見えるし、南天の「難を転ずる」にかけて「苦難去る」の縁起担ぎなのだ。フクロウの縫いぐるみは枝に留めつけたものの他に、小さなカゴや透明の袋に数羽を入れたものもある。すべて、天野さん以外の5人が作ったものだ。カゴや袋入りのフクロウには「家族一緒に暮らしたい」と書いた、小さなカードが添えられている。このカードを入れるのは、天野さんの仕事だった。そしてこれは、以前に天野さんからカード作りを頼まれた私が、デザイナーの友人に作って貰ったものだった。

3・11からもうじき4年になるという正月に、寺内塚合に行ったのは、〝工房〟が休みの日曜日だった。他にも訪ねたい人や場所があって、その日でないと行けなかったからだ。談話室の扉を開けて「日曜日なのにごめんなさい」と言って入ると、「なんも。私は日曜も月曜もないから平気よ」と、天野さんは笑って応えた。この日私はフクロウの目を届けに来たのだが、〝工房〟が休みだったのが幸いして、天野さんの話をじっくりと聞かせてもらった。

天野さんは田村郡船引町（現在は田村市）の農家に生まれたが、農家の嫁の大変さは母や姉を見れば判るので、農家には嫁がないと心に決めていた。学校卒業後は家を出て、郡山の織物工場に就職した。工場が小高に移転して天野さんも一緒に移り、やがて工場の事務職の男性と結婚し、娘が生まれた。産後の休暇を終えると娘を抱いて出勤し、自分が受け持つ織機の足元に置いたみかん箱に娘を寝かせて働いた。昼休みになり織機が止まってほっとすると、決まって娘は泣き出したという。織機のガチャンガチャンという音が子守唄代わり、その音が止まったので目覚めて泣き出したのだった。

天野さんに確かめなかったけれど、他にもこうして子供を連れて働いていた女工さんは、きっと何人も居たことだろう。私は、南相馬に通うようになってからこの地の歴史なども知るようになったが、中でも小高はとても興味深い地で、進取の気概にあふれた人を多数輩出している。江戸時代末期に小高に生まれた半谷清寿（はんがいせいじゅ）も、その一人だ。半谷は冷涼な風土の東北は米作など農業に頼るばかりでなく、新しい産業を起こすことが大事だと考え、明治２０年に相馬織物工場を設立した。小高の産業革命の始まりだ。また生糸を精練する相馬精練会社も設立し、手織機から蒸気による力織機（りきしょっき）への転換を進めた。これによって小高には、機械織りの工場が立ち並ぶようになり、小高で織られた製品は横浜の市場を通じて外国へも輸出されるようになった。昭和初期の世界恐慌と、続く戦争によって織物産業も大きく影響を受けたが、戦後の復興でまた織物工場は復活してきた。

天野さんが農家の嫁にはなりたくないと考えたのも、女性の働き口としてのこうした工場が身近にあったからだろう。子連れで工場に働きに出ていたが、ある日、保育所ができることを聞き「ああ、これで安心して働けるようになる」と、すぐに入所の申し込みをした。天野さんは「保育所のおかげで働き続けることができた」と言ったが、保育所の第1回卒園児となった長女は、小学生の時には「私も保育所の先生になりたい」と夢を語っていたという。長女はその後、中学生の時の入院生活の体験から看護師の道を選んだが、かつて保育士だった私には、この話は深く心に響いた。

織物工場にいつまで勤めたのかは聞かなかったが、その後も幾つかの職業に就き、その間に娘たちは成人して結婚し、孫も生まれた。連れ添ってきた夫が亡くなったのは、その後だ。

3・11は末娘の子どもが中学校を卒業する年だったが、相馬高校へ入学するので娘と孫は相馬市のアパートに避難、娘婿は仕事の関係で原町にアパートを借りた。娘夫婦は孫の健康を考えて、避難解除後も小高には戻らず原町に家を建てることにしたそうだ。そして天野さんは言った。

「私は、娘たちとは一緒に住まないようにする。若い人には若い人の考えもあるし、一緒に暮らすのは無理だ。私は年金で入れるような老人ホームを探して入る」。

その時私は、天野さんの言葉をただ文字通りに聞いていた。天野さんは給与所得を得ていた期間があるので厚生年金を受給しているだろうから、それも可能だろうと思っていた。

2ヵ月後に、また寺内塚合談話室を訪ねた。この日にみんなが作っていたのは、フェルト製の小さな羊の携帯ストラップだった。最近は、以前の人の再訪はあっても、新たに訪ねる人は滅多にない。だから折り紙の薬玉やフクロウの縫いぐるみ、「苦難去る」も、ほとんど売れなくなっていた。羊ストラップは、2015年になってから作り始めたものだ。1月に来た時に私もたくさん買って帰ったが、干支(えと)に因んでいるので3月が過ぎたら売れないだろう。他のものを作るように提案しようと思い、新たな商品見本として私が作った手芸品を持って来たのだ。

ここで私は「売る」とか「商品」という言葉を使っているが、この人たちはこれを「商売」とは考えていないし、私もそう思ってはいない。談話室に来て針仕事をしていれば、気持ちが紛れる。毎日行く場所と仕事があることが、生きる励みになっているのだ。先に述べたように天野さんは勤め人だったが、他の人たちは農家や自営の商店だった。子どもに代を譲ったとはいえ、全くの隠居暮らしではなく家族から頼られてする仕事や用事もいろいろあった。孫の世話、自家用の野菜畑、家の掃除や洗濯、近所付き合いなど、それらがみんな奪われてしまった今の暮らしだ。商品として作っているものではないが買ってくれる人がいて、売り上げが出る。そこから材料費を除いて余剰金が出たら、6人で隔てなく分け合う。美容院に行ったり、孫へ小遣いに渡したり、自分で稼いだお金を自由に使うというささやかな生きがいを、〝工房〟が生み出しているのだ。

だがその日、天野さんは、「家族一緒に暮らしたい」と書かれたカードを指して「これは、間違っていた」と言う。それは、原発事故によって家族が分断されてしまった被災者たちの、切ない願いを表す言葉だった筈だ。子どもや孫と共に暮らし、また中には曾孫(ひまご)や玄孫(やしゃご)がいた人もいる。2世代、3世代、時には4世代での生活だったのが、若い世代は他所へ避難して、じじばば世代が仮設に入居した例が多かったから、「家族一緒に暮らしたい」は、他の仮設住宅を訪ねても、多くの人から聞く言葉だった。天野さんだって以前は、「孫と離れ離れになったのが寂しいねぇ」と言っていたし、「この間の休みには孫が来て、泊まって帰ったの」と、満顔の笑みで話してくれたこともあった。けれども被災からまる4年経った今、天野さんはそれを「間違っていた」と言う。

離れて暮らした4年の間に、それぞれの生活スタイルが作られてきた。それは、望んで別れ別れになったのではなかったからこそ、努力して築いてきた「それぞれの暮らし」だろう。その4年を無にして、何事もなかったようにまた一緒には暮らせないということなのだ。2ヵ月前に聞いた「年金で入れるような老人ホームを探す」といった天野さんの言葉が蘇るが、あの時よりももっと、はっきりと決断したような口調だった。

「家族一緒に暮らしたい」の言葉は、私たちの胸を打つ。そのフレーズが間違いだと言う天野さんの言葉は、原発事故のもたらした罪を、なお一層強く私たちに突きつける。前言を翻したのは「間違っていた」からではなく、「一緒に暮らしたい」という願いを、自ら断たねばならないからなのではないか?

2012年4月から小高区は警戒区域解除となり、日中は入れるようになった。以前から在った会社や工場は再開したところもあり、市内の借り上げ住宅や仮設住宅から復職して通う人も出てきた。寺内塚合の談話室での就職相談が開かれなくなったのは、その頃からだった。しかしこの仮設住宅の働き盛りの40、50代の人たちがみな勤め人だったとは思えない。農家だった人も多い。県は応急仮設住宅の供与期限を2016年3月までとしている。もう1年先に延びるとしても、どのみち仮設を出なければならない。田畑の除染は、まだこれからだ。自宅に戻るにも手入れが必要だし、あるいは建て直さねばならないだろう。若い世代は小高に戻らず他所に転居する人も少なくないが、年寄りにとっては知らない土地での暮らしは、不安が大きい。事実、子どもに伴って転居した先で引き籠もりになってしまった人もいる。

仮設住宅を出た後の暮らしをどうするのか。天野さんの「『家族一緒に暮らしたい』は、間違いだった」の、言葉は重い。

行き惑う日々

東京電力福島第一原発の事故後に、原発から半径20キロ圏内は「警戒区域」と指定され、20キロ圏外の特定地域は「計画的避難区域」「緊急時避難準備区域」とされた。南相馬市の小高区は北部のごく一部が20キロ圏外だが、そこを除いた全域が「警戒区域」となった。事故から1年後の2012年4月16日に「警戒区域」が指定解除され、「帰還困難区域」「居住制限区域」「避難指示解除準備区域」に再編成された。警戒区域が解除されて日中は入れるようになったが、夜間の立ち入りは禁じられている避難指示区域であることに変わりはない。また小高区でも山側地域の「帰還困難区域」は、解除後も立ち入りはできない区域だ。

警戒区域が解除された4月16日に、早速小高区へ入ってみた。その日に見た光景は、1年前に地震・津波の被害を受けた時のままの状態だった。田畑のそこここに車が転がり、1階が柱だけになった家や崩れた家が点在し、よじれて曲がった看板が路上に落ちていた。時間がすっかり止まったような光景だった。海寄りの地域、村上浜、塚原は集落が跡形もなく消え、国道6号から海が見渡せた。干拓地の井田川(いだがわ)の田んぼだった辺りは海水が被ったままで、遠浅の海のような景色だった。

2013年2月に、仙台の友人を案内して小高に行った。国道6号で原町から小高に入ると友人は、「2年経つのに……」と絶句した。道路をふさぐ倒壊家屋の片付けがようやく始まった頃で、田畑に転がる車はまだ放置されていた。瓦礫が入ったフレコンバッグは、路上に放置されたままで、除染は全く手付かずだった。この年12月に市は、避難指示解除準備区域と居住制限区域について2016年4月の解除を目指すことを決めたが、インフラ復旧と、国直轄で行われている20キロ圏内の宅地周りの除染や廃棄物処理が、2015年度末で完了することを見越しての決定だった。

2014年の12月を皮切りに、盆暮れなどに特例として宿泊できるようになった。解除後の帰還を目指す家族が、自宅に戻って宿泊できるようにとの試みだった。最初の準備宿泊に応じた山田さんに、どうだったかを聞いてみた。「飲み水はペットボトルで持っていけばいいけど、風呂が使えないからみんなで温泉に行ったよ。したらガソリン代と入浴料がかかるし、風呂も使えねぇならもう準備宿泊はしねぇ」と言った。そして2015年末もまだインフラは完全に復旧せず、除染も未完了で解除は先送りになった。山田さんは帰還しないと決めた。

被災者たちは2016年4月避難指示解除の報が出た時もまた案じ、同時にまた安堵もした。そもそも原発事故によって突然の避難生活を強いられたこと自体が生活破壊だが、区域分けやその再編成、避難指示や解除、解除先送りなど、その度に被災者の心は大きく翻弄されてきた。被災者たちは、先の見通しが持てずに暮らしている毎日なのだ。

黒沢さんの自宅は井田川で、津波で夫と娘を亡くし家も流された。二人の遺体は被災後間もなく発見され葬儀も済ませていたが、黒沢さんが娘の車を見つけたのは、警戒区域解除の2012年4月以降のことだ。解除後、黒沢さんは礎石だけが残った自宅跡に毎週のように通い、敷地だったところに花を植え、小さなお地蔵様を立てた。だがその地域は災害危険地域とされているので、その地に戻って住むことはできない。入居している鹿島区の仮設住宅近くの集団移転地に土地を求めたのは、2013年の暮だ。今後どうするかをさんざん悩み、息子たちと相談した末のことだ。移転地の宅地造成は、資材や作業員の不足でなかなか進まなかったが、2015年ようやく造成が始まり周囲の家の建築も始まった。黒沢さんの家も15年暮れに地鎮祭を終え、16年5月には完成する。長男家族、次男はそれぞれ別の仮設住宅に居るが、新居ができたら長男家族と一緒に住む。

宅地の造成が始まった頃から、黒沢さんはそれまで毎週のように訪ねていた井田川の自宅跡へ行かなくなった。新居ができるからではない。黒沢さんが、「遠くから見ても判るように、この辺をお花畑にするんだ」と言って種を蒔き花を咲かせていた地域は広大な仮々置場となり、近づくこともできなくなったからだ。そしてそのすぐ南方には、除染廃棄物減容化施設ができた。黒沢さんが家族と共に過ごした地は家も田畑も、風景もそっくり消え、除染廃棄物を詰めたフレコンバッグ置き場になった。

天野さんの自宅は街中の大町（おおまち）で、家はそっくり残っている。避難後の天野さんは鹿島区の仮設住宅で一人暮らしだが、被災前に同居していた娘夫婦は孫の健康を案じて、相馬市にアパートを借りて住んでいる。天野さんは娘と一緒に解除後に一度、自宅に行ってみた。地震で壊れたところもないから、掃除をして住もうと思えば住めるだろう。だが小高区で暮らすことに不安を感じている娘たちは、戻らずに原町区に家を建てると言っている。天野さんは、「私は厚生年金があるから、それで入れる老人ホームを探して入居する」と言う。離れた暮らしが続く間に若い人らと８０歳過ぎた自分の暮らしぶりは大きく変わり、また一緒に暮らすのはお互いに大変だろうと考えるからだ。元の家での一人暮らしは、毎日の生活や病気の時など不安が大きいので施設入居を考えているが、そう結論するまで天野さんは何度も気持ちが逡巡した。望んでの結論ではなく仕方なしの選択だが、果たして天野さんの経済や思いに適う施設が見つかるだろうか。

被災前に奥さんと死別して独り身の藤島さんは、小高区の人たちが入居している仮設住宅の自治会長をしている。自宅は居住制限区域だが、解除されても戻る気持ちはない。仮設入居者の多くは高齢で、独居老人も少なくない。仮設退去後の暮らしの見通しを立てられず、親しくなった仮設仲間と、このまま仮設に居たいという人も多い。いつも笑顔で入居者たちの健康に気を配り相談に乗っている藤島さんだが、辛い思いも味わってきた。解除後に自宅に戻った居住者の自死、また死後2日目に気づいた居住者の独居死を自治会長として受け止めてもきた。だからいま藤島さんは、みんなが共に暮らせるシェアハウスを構想している。そして他の仮設住宅の住民にも呼びかけて、説明会を開いている。モデルケースとして作って欲しいと署名を集め、市に提出した。

２０１６年4月の避難指示解除は先送りされたが、被災者はさらにまた一つ歳を重ねる。１５年暮れには、小高区の９５歳の男性が自死した。被災前には4世代１３人で暮らしていたが、被災後は5ヵ所に別れての暮らしとなり、男性は仮設住宅での一人住まいだった。ある日自宅に戻って、自ら命を絶った。９５歳で自ら命を絶つほどに、思い詰めて暮らす日々なのだ。

原発事故に翻弄された被災高齢者たちの、行き惑う日々は続く。

第8章

「5年後の小高」で考えたこと

その年、2011年

ほぼ全域が、東電福島第一原発から10〜20キロ圏内にある南相馬市小高区は、警戒区域に指定され、住民は全員避難して無人の地域になった。

2年目、2012年

3月30日、国の原子力災害本部は警戒区域・避難指示区域を解除し、替わって避難指示解除準備区域・居住制限区域・帰還困難区域の3つの区域に再編した。この内おおよそ海岸に沿う避難指示解除準備区域の汚染度は低かったが、山の方へ入ると線量は上がり、小高と一口にいっても、地域によって状況は大きく異なっていた。

区域再編成された小高には、4月16日から日中は自由に入れるようになったが除染は手付かずで、また上下水道の復旧もできず、夜間の宿泊はできない。

常磐線の小高駅の自転車置き場には、１年前の３月１１日の朝に乗客たちが停め置いた自転車が、埃をかぶってずらりと並んでいた。留守にしている家の様子を見るためや、家の片付けなどに戻ってくる住民もいるようだったが、通りで人の姿を見ることはなかった。だが駅前通りの「理容カトウ」の店先では、青・白・赤３色のポールがクルクルと回って、営業中を知らせていた。理容店の経営者夫婦は仮設住宅から通い、ポリタンクに入れた１００リットルの水を毎日運んで店を開いているのだった。

３年目、２０１３年

業務用厨房機器メーカーのタニコー小高工場が、営業を再開した。従業員は工場の中にいるので、路上で人の姿はほとんど見かけなかった。それなのに、駅前通りを歩いているとスピーカー越しにＪポップが流れてきた。音は広場の奥に建つ「小高浮舟ふれあい館」からだった。中には管理人がいて説明をしてくれた。建物の事業主は小高商工会で、街の活性化と住民親睦の拠点として被災の前年に建てられたそうだ。一時帰宅の住民に役立てようと、この４月に再開したというのだが、流暢（りゅうちょう）に説明をしてくれたのは、小高とも商工会とも所縁（ゆかり）のない東電社員のＣさんだった。なぜ東電社員が？と驚くと、建設当初から施設内の一部が東電の広報活動に使われていて、その流れで再開時の管理を委託されたという。一時帰宅の住民から「東電のせいで生活がめちゃくちゃになった」と怒られないかと問うと、「毎日数人が立ち寄るが、怒られたことはなく、東電社員が留守宅の片付けなどをしているから感謝されている」と答えた。私は、どうにも腑に落ちない気分を抱えて辞したが、Cさんは玄関の外に出て深々とお辞儀をして見送ってくれた。その姿に私は、一層胸のつかえを感じた。

12月、市は帰還困難区域を除き、2016年4月に避難指示解除することを決めた。

4年目、2014年

除染が始まったが、仮設住宅の被災者たちは、前年末に発表された避難指示解除後の生活について思い悩んでいた。仮設入居者の多くは、被災前には子供や孫、人によっては曾孫まで一緒に大家族で暮らしていたが、原発事故で子や孫たちは他所に避難し、家族が分断された高齢者たちだった。仮設退去後は、津波で家を失くした人の場合は、災害公営住宅に申し込むか、家を借りるか買うか、建てるかだ。新築する場合は、市が土地を分譲する集団移転地か個別に土地を探すかになる。家が残っている場合は、そこに戻るか、他所に家を建てるか買うか、それとも借家かだ。元の家は、そのまま住めるのか、それとも手直しが必要か、あるいは建て直す必要があるかもしれない。また、以前のように家族一緒に暮らすか、それとも若い世帯と年寄りは別居するかの決断も迫られる。避難生活で別れて暮らすうちに、子供たちとは意見の相違から軋轢（あつれき）が生じた人もいて、いずれは子供に世話されることになるかもしれぬ高齢者の悩みは深かった。

5年目、2015年

3月に常磐自動車道が全線開通して、南相馬への交通の便は良くなった。だが富岡ICと浪江IC間の一部は、放射線量の高い帰還困難区域になる。また前年9月にこれとほぼ並行する国道6号も開通したが、この区域内は走行中窓は開けられず駐車もできず、バイクなど二輪車の走行は禁じられている。帰還困難区域だからだ。帰還困難区域からの出口にスクリーニング場が設けられているが、通行する車の全てがスクリーニングしてから市内に入るわけではない。タイヤについた汚染物が拡散されている危険性があった。

黒いフレコンバッグを積み上げた除染廃棄物仮置き場が、各行政区に一ヵ所ずつ作られ、どこにいっても仮置き場があった。これは仮置場と政府は言っていたが、中間貯蔵場も決まっていず、仮置き場へ移す前に一時的に保管するための実際には仮々置場だった。井田川には除染廃棄物減容化施設と銘打った仮設焼却炉が建設された。また、海岸のかさ上げや除染後の盛土のために、山を切り崩し土砂の採掘をしていた。小高の風景は、激変していた。

小高浮舟ふれあい館の中に商工会婦人部が「ひまわりカフェ」を開店してコーヒーやケーキ

を出し、一時帰宅の人の憩いの場になった。Cさんは、ふれあい館での催しや情報を積極的に発信していた。広場での夏祭りなどを楽しみに住民が大勢集まるのも、Cさんの働きかけが大きいのかもしれないと思えるようになった一方で、胸のつかえをとってもいいのか?と戸惑う私がいた。

生まれ育った小高に戻って、その地を再生させたい人や、他所から小高に移って起業し、地域再興に新たに関わる人たちも出てきた。飯舘村に主力工場がある精密部品や金型製造の菊池製作所も、新たに小高に工場を開設し、ロボット開発に取り組むという。商店や製造業から小高が蘇る機運が生じていた。

だが、小高は農家が多く、農業が成り立たなければ、農家の人は戻っても暮らしてはいけないだろう。避難指示解除後に帰還を希望する人は、元の人口の一割しかない。

6年目、2016年

政府は4月中に避難指示解除の予定だったが、市は除染完了後に指示を受け入れるとして先送りされ、解除は7月半ば以降になるだろうと言われた。

小高の再興を目指して、駅周辺の商店やデイサービスセンター、医院が再開し、災害公営住宅20戸の入居者への鍵の引き渡しも済んだ。市営住宅の整備も進んでいた。駅前の双葉屋旅館は内外装工事を終えた。１０日には浦島鮨が営業再開した。ここは客人のもてなしや家族の祝い事などの節日に、小高の人たちによく利用されていた店だ。開店の日、店の前には大きな花輪が飾られていた。花輪を見て私は、心が弾んだ。ＪＲは常磐線の小高駅と原ノ町駅間の運転を再開するとして、駅舎や自転車置き場の整備をした。運転再開によって地元の利便性はずっと高くなる。ここでもまた私は、蘇る小高を感じて嬉しかった。

　けれども一方で、４月半ばにもまだ除染中の場所もあり、また除染済みとされた家の隣接地が除染されていないなども目に付いた。自宅の除染が済んだと報告を受けて見に行くと、樋（とい）に土が溜まって雑草が生えていたという話も聞いた。除染は形式的に完了の日を急ぐばかりで、作業はやっつけ仕事のようにも見えた。住民の不安は大きい。除染のこうした実態を見れば、私も同様に不安を感じる。住民たちが、小高に帰っていいのだろうか？

　やがて避難指示が解除されても、戻らない人は多いだろう。特に若い世代は、避難先に拠点を移して新たな暮らしを築き始めている。店や医院が再開しても、高齢者世帯も車の運転ができなければ、やはりそこには住めない。

　４月５日、福島の高校生たちが官邸に安倍首相を訪ね、「オリンピックの聖火リレーは、浜通りの６号線を走らせて欲しい」と要請した事が報じられた。２０１３年のＩＯＣ総会で原発事故は「アンダーコントロール」と言ってオリンピックを招致した首相は、「世界に向けて福島の復興を示せる。希望を実現できるように頑張る」と、高校生の要請に応えた。6号線は、走行中の車の窓を開けられず、歩行や二輪車の走行は禁じられている帰還困難区域を通る道路なのだが、「にもかかわらず」の言葉だった。また話は前後するが、このニュースに接した後で私は、3月5日の首相官邸HPには、綺麗になった小高駅ホームに高校生たちと共に立つ安倍首相の写真が載っているのを知った。

これらのことを反・脱原発運動の仲間の一人が、「子供が言わされている」と憤った。命よりも経済を重視し、そのためのオリンピック招致への憤りに共感しながら私は、友人の言葉には違和感を持った。「子供が言わされている」のではなく「子供が言っている」のだ。子供自身がそう考え、そう言うようになった社会背景、社会を構成する大人たちが問題なのだ。「大人が言わせている」のだが、観察者の目で客体化して言うと問題をそらす。原発を容認してきた「私」を、当事者から外す。

浦島鮨が花輪を飾って営業再開したと同じ日、原町区の会場で崎山比早子（さきやまひさこ）さん（医学博士。元放射線医学総合研究所の主任研究員で高木学校所属）の講演会があり私も参加した。崎山さんは、原発事故に因る放射能の危険性について、政府や東電発表の欺瞞を丁寧に話された。講演後に「小高の者ですが、私も孫も共に、小高で安心して暮らすためにはどうすればいいのか、方策を教えてください」と、85歳の男性から質問があがった。これに対して崎山さんは、放射線被曝に安全の閾値（しきいち）（境目となる値のこと）はないこと、政府は基準を引き上げてこれまでは安全ではないとされていた値を安全であるかのように指示を出していることを、講演で話したのと表現を変えて丁寧に答えられた。崎山さんの言葉に深く私は納得した。だが私は、その言葉で男性が答えを得たとは思えなかった。崎山さんだけでなく他の誰も、男性の問いへの答えは出せないだろうとも思った。また問いは、原発を許してきた私たちすべてに向けられているとも思った。安全ではないかも知れないのを承知して、安寧な心を自分で見つけるほかはないのだ。答えを出すのは自分自身なのだ。

小高の再興を喜ばしく思いながら、そこに人が戻るのを不安に思うのは、私が当事者ではないからだろうか。そして、また思う。市民運動は、軸足をどこに置くべきなのだろうかと。5年経った小高で、私は自分に問うている。

「寂しいもんだよ、喋る相手がいない」

南相馬市は、帰還困難区域を除いて2016年7月12日に避難指示が解除された。これによって小高区は一部の地域を除いて、ほぼ全域が帰還できることになった。ただし、居住制限区域と避難指示解除準備区域でも、まだ除染が終わらない所や再除染が必要な場所も残っていて、それらの地域は除染が済まなければ帰還は無理だ。が、ともあれ伝統行事の野馬追が開催される7月23日前に、避難指示は解除された。そして同日、常磐線の小高駅と原ノ町駅間の運転も再開された。この「〇〇前に解除」は、行政の姿勢として、記憶に留めておきたい。

指示解除後に小高に戻った住民は、人口1万3000人中の239人とされているが、この数字は指示解除後の帰還を役所に正式に申し出た人の数だ。解除前の準備宿泊期間中に自宅へ戻り、そのまま住んでいる人もいるだろうから、実数は400人ほどだろうという。

先にも書いたが、駅周辺の商店や医院の中には解除前に既に再開していたところもあり、デイサービスセンターも、解除前に再開していた。海寄りの地域や中心部の駅周辺の放射線量は東京と変わらず、東京の一部地域の方が高い場所もある。同じく避難指示解除準備区域であっても、山裾の北西部は除染しても年間20ミリシーベルトを下がらない地域もある。戻った人たちはどんな日々を送っているのだろう。解除からひと月半ほど経った8月下旬に、小高に行った。

志賀順子さん(73)の自宅は小屋木（こやぎ）地区で、被災前には193世帯の地区だったが戻ったのは23世帯だという。自宅の近所は誰も戻らず空き家ばかりだ。被災前は順子さん夫婦、長男夫婦と孫の7人で暮らしていた。原発事故後、長男家族は他市の借り上げ住宅に避難し、順子さん夫婦は避難所を7回も転々とした後で、その年の暮れに鹿島区の仮設住宅に入居した。ようやく明日の寝場所の心配からは逃れられたが、庭もなく部屋も窮屈な事に息が詰まりそうだった。帰れるようになったら自宅に戻ろうと、夫婦で話し合っていた。植木職人だった夫は、丹精した庭が荒れていくことも心配していた。仮設住宅入居後、肝臓にガンが見つかった夫は、自宅に帰る日を待たずに15年暮れに亡くなった。残された順子さんに息子は、「いつか俺たちが戻るまでは母さん一人の暮らしになるから」と、自宅の四隅に防犯カメラを設置し、イノシシが庭を荒らさないよう柵を設けた。順子さんは日中は庭の手入れなどで気を紛らわせることもあるが、話す相手もいないのは辛く、仲間に会いに仮設住宅の集会所に行くことも多い。夜はカーテンを二重に閉めて外に明かりが漏れないようにし、テレビは音が漏れないようにイヤホンで聞いている。空き家だらけの中の一軒家の暮らしは、荒野の一軒家よりもなお怖いと、順子さんは言う。

志賀英明（ひであき）さん（83）・時子さん（81）夫妻の家は小高駅から3分ほどで、メインストリートに面している。地盤が緩いこの辺りは地震の被害が大きく、志賀さんの自宅も一部損壊した。それで老夫婦が暮らしやすいようにと、バリアフリーの平屋に建て替えた。木の香りのする気持ちの良い新居のリビングに通された私は、自宅に戻ってきてどんなお気持ちでしょうと尋ねた。英明さんは即座に「寂しいな。帰ってきたけど、こっちに来たら喋らなくなった。喋る相手がいない。そこの人は仙台に行った。こっちは原町。向こうは新地。あそこは会津……」と、隣近所が他所へ転居して行ったと言う。時子さんも「爺と婆だけ。ここは仕事がないから」と言い、それに続けて英明さんはまた、「寂しいもんだよ、ここは」と繰り返した。仮設住宅で何人もの人たちから「自宅に帰りたい」の声を聞いていた私には、思いがけない返事だった。そして同時に、志賀さん夫妻の気持に思い至らずにいた自分の不明を恥じた。

駅前のこの辺りは何軒かの商店も再開し、商工会も復興に向けてさまざまに取り組んでいる地域だ。駅前の双葉屋旅館は、指示解除以前には一時帰宅の住民の宿泊施設としての特別営業だったが、今は従来通りの営業をしている。客人のもてなしや家族の祝い事などに小高の人たちがよく利用していた浦島鮨や、以前から味が評判で行列のできる店だった双葉食堂も、また魚屋も戻ってきて営業を再開している。半谷医院も再開しているし、理容のカトウは、12年4月に区域再編成された時から、既に営業再開していた。前述の双葉食堂は志賀さんの家の1本裏通りにあるが、英明さんは毎日昼時には窓辺に座って、双葉食堂に並ぶ人並みを眺めるのだという。「あ、今日は○○人並んでいる」と、並ぶ人を見て数を数え、知った顔を探し、また寂しさを紛らわしてもいるのだろう。

時子さんは「爺婆は、この5年の間にフニャッとなっちゃった。前にはみんなシャンとしてたのに」と言う。英明さんも時子さんもこの間にだいぶ痩せ、時子さんは7キロも体重が落ちたという。もともと痩せていた時子さんは、折れそうな体格になっていた。買い物はどうしているのかと尋ねると、時子さんは「エンガワがあるから少しは助かっているけれどねぇ……」と、その語尾は頼りない。エンガワは志賀さんの家から駅の方へ行った所にある「エンガワ商店」のことだ。市がNPO法人に営業を委託したスーパーマーケットで、小さな店舗なので品数は少ないが、肉や野菜など生鮮食品、お惣菜や弁当、飲料水、日用品などを商っている。魚は魚屋が営業を再開しているし、野菜の移動販売車が週に一度やって来るから、日々の暮らしはエンガワ商店とこれらの店で取り敢えず事足りてはいる。だが、いかんせんエンガワは品数も種類も少なく、結局は原町のスーパーまで買い出しに行く事が多いという。エンガワの商品棚は、他の商品に比べて酒類の占める割合が大きいが、それは住民に比して作業員が顧客に多いからだ。住民が戻らず空き家になっているところを業者が借りて、作業員宿舎にしている場合も多いという。

3・11の1年後から小高に通い始めた私は、人影が絶えてしまったような当初から見ると、店や医院も再開した中心部のこの辺りなら仮設住宅よりも自宅の方が心安らぐだろうと思っていた。だがそれは、被災前のこの地を知らない者の感想なのだった。小一時間ほどお邪魔していた間に、英明さんは何度も何度も、「寂しいな」と繰り返した。

小高駅前の復興住宅に入居した松本さんを訪ねた。松本さんの自宅は海を前にした塚原で、そこで農業を営んでいた。津波で家も畑も流され、仮設住宅暮らしとなった。奥さんの姿が見えないので尋ねると、「志賀さんとエステに行ってるよ」と答えが返った。志賀順子さんと誘い合って、仮設住宅で開かれているエステサロンに行ったというのだ。数ヵ月に一度、ボランティアが来て開いてくれるエステサロンだ。志賀さんと松本さんは被災前には互いに顔も知らない仲だったが、同じ仮設住宅で暮らすうちに仲良くなってのことなのだった。

この復興住宅は、平屋の1戸建てが20戸あるが、そのうち12戸は既に入居済み、6戸の入居者は決まっているが2戸はまだ入居希望者募集中だ。決まっている6戸も、確実に入るかどうかは不明らしい。

松本さんに復興住宅の住み心地を聞いてみた。「ここは、いいなぁ。いろんなこと好きにやれるし、広いからいいよぉ」と答えが返ったが、ちょっとした物音も隣に響く仮設住宅では、気兼ねなく行動することはできなかっただろう。3世代で暮らしていた塚原の自宅は、ここよりはずっと大きな家だっただろう。それに比べるとここは決して広くはないが、キッチン・居間・ベッドルームと機能別の3部屋でバリアフリーなので、高齢者夫婦には暮らしやすいのかもしれない。それが「ここは、いいなぁ」の言葉になったのだろう。

復興住宅には、土の庭がない。コンクリートで固めた駐車スペースと、小砂利を敷いた庭だ。松本さんはその庭に大きなプランターを並べ、ナス・キュウリ・カボチャ・トマトなどを育てていた。仮設住宅にいた時には、「小高に戻ったらまた畑をやる。畑は塩をかぶったけど、キャベツなんかは塩分のある土で美味いのが作れる」と言っていた松本さんだが、農地の除染も終わらないので、どうやら以前とは気持ちが変わったようだ。自分の畑での耕作は諦めて、プランターでの自家用野菜栽培に切り替えた。プランターの野菜たちはどれも、今すぐ収穫しても良いほどに育っていた。「息子たちが、明後日来るんだよ。孫たちに見せてやろうと思って採らずにいるんだ。じいちゃんの野菜が好きだから、きっと喜んで自分たちで採るだろうからな」と言って、眼を細める松本さんだった。

避難指示解除と同じ日に、常磐線は小高駅と原ノ町駅間の営業を再開した。その事で何か変化があったかと、地元の人に聞いてみた。「一つの節目ではあるけれど、別に目出度い事でもない」「電車が動いても、高校生が戻らなければ変わらない」と答えが返り、駅員さんは、「地元の利用者はあまりない。青春18切符を使っての観光客が毎日数人程度」と答えた。誰に聞いても素っ気ない返事だった。

双葉屋旅館で同宿だった人に、JR東日本水戸支社の人がいた。不通区間の復旧に携わる人だった。小高＝浪江間は2017年3月までに工事を終えて運転再開、その先の浪江＝富岡間の工事終了の目処は2019年度末だという。そのように予算を組んでいるので、何が何でも2020年春には完了して、それで目出度く東京オリンピックを迎えられるということなのだ。浪江＝富岡間は双葉、大野、夜ノ森(よのもり)と原発立地地域で放射線量の高い地域となる。既に開通している国道6号線の同区間は、二輪車の走行は禁じられているし車の窓も開けないよう注意されている。浪江＝富岡間はトンネルにするのかと尋ねると、そのような計画はないと言う。乗降客の出入りのたびにドアは開閉するし、また乗客が窓を開けることもあるだろう。高線量地域なのに、それで大丈夫なのか問うと、線路の両側に遮蔽壁を築けば、放射能の影響はかなり防げるという。そうだろうか？　しかも、遮蔽壁建設計画はない。

「復興オリンピック」などと言われてもいるが、そもそもが「アンダーコントロール」の虚言で誘致したオリンピックだ。「オリンピックまでに復興完了」の筋書きだが、住民の健康は考えの外にある。国政のこの姿勢に異議を立て続けていきたい。

第9章　聞き書き　南相馬

平らでさえあれば——高橋宮子さん

「宮ちゃん」こと高橋宮子さん（昭和12年3月13日生まれ。36ページ前出）は、津波で家が流され、娘と孫娘を亡くした。2011年の秋から住んでいた仮設住宅を退去して、現在は高齢者向け災害公営住宅で暮らしている。仮設住宅住まいの頃から、そして転居後もしばしば訪ねて話を聞かせて貰っている。そんなある日のことだ。私が、「大原（南相馬西北端で飯舘村に隣接する地域）が実家だった宮ちゃんが、海辺の萱浜に嫁いだのは何故？」と発した問いに答えて、宮ちゃんは話してくれた。

「大原で母ちゃんを手伝って畑仕事してっと、たまに浜の方から男衆が通るんだな。見に来てたんだな。350ccのバイクで、ブゥンブゥンって音させて2回も3回も来たよ。映画行かねぇかって誘われっちけど、行かねぇって断ったんだ。けど嫁に欲しいって、母ちゃんに話したみたいだったたな。母ちゃんから言われて、『あそこにゃ小姑（こじゅうとめ）が箱に詰めるほどいっぺぇ居っから、オラやんだ』って言ったんだけど、おんつぁま（叔父・母の弟）が『あそこは農協勤めだから、いくら家族多くても、いつかは居なくなっから、こっちゃれ（くれてやれ）』って。母ちゃんが乳がんになって原町の渡辺病院で手術になった。オラは病院で七輪でウチワ扇いでお粥炊いて、梅干しで母ちゃんにまかせた（食べさせた）。１９歳の時だ。したら渡辺病院にも来たんだな、浜の男衆。２回目に来た時病院から外出許可貰って、原町の映画館に一緒に行ったの。ポケットから経木に包んだ薄皮饅頭出して、「食べろ」って言っちゃくれたの。これがきっかけ」

「へぇ～、それなら宮ちゃん、饅頭で釣られちゃったの？　だけどそうやって何度も見に来たっていうのは、大原に働き者の娘がいるって評判で、宮ちゃん見初められたんじゃないの？」と私の言葉に構わず、宮ちゃんは話し続けた。

「オレは6人きょうだいの4番目だったけど、上はみんな姉さまで働かねぇ人だったし、オラが母ちゃん助けて働いてた。実家は山あったから、そのうちの1町5反の雑木山を８００万円で売って、結婚式して貰って嫁いだの。その頃はお式もの（引き出物）は蛇の目傘だった。他所はいろいろあったよ。一斗バケツだの手桶だのザルだのなんつう物な。その頃は婦人会で嫁入り衣裳作った時代だった。婦人会で作った振袖衣裳、最初に手を入れたのがオレなの。忘れらんねぇ。そんなこんなで、元をただせば笑い話だ。

実家はそのあと姉さまに婿さま迎えた。婿さまは大工の棟梁で、婿さまと姉さまで大原の小田家を継いできた。

饅頭で化かされてオラは萱浜に行ったけど、高橋家はみんな脳溢血で倒れて、倒れて10日、3日、あとはその場でと、6人ともみんなバタンキュウだった。それをみんなこの腕で送ったんだ。昔は葬式も組でやったべしさ。高橋家はなんでか、そんな日に限って雨とか寒いとか、雪とかナ、天気悪くてなぁ、大変だった。そのたんびに実家さ行って、布団貸せとか座布団貸せとか、なんぼ実家で親の世話になったか判んねぇ。


旦那は優しかった。家畜商だから、コンチクショウじゃないよ。馬喰だな。金は稼いできたよ。馬喰でもよ、他所サうんと優しいし、話し上手で人に好かれたな。相手次第で飲み屋行ったり博打やったりだったけど、稼いできたよ。ほんだからオラは旦那の胴巻き弄って、束ねてある金5、6枚おろぬいて。したって男だから気がつかねぇわナ。そいで原町の駅前郵便局に積んだわけだ。

茅葺の入母屋の家だったから、この家なんとかしなきゃって、無我夢中でやってきたよ。そん頃はあっちもこっちも既に親はいない。自分の子は一番小さくて幼稚園、おばちゃんの子10人くらい、みんな幼稚園、学校出してやった。農協だから銭は借りたったが、銭金に代えらんねぇ、人間の気持ちはな。苦労したよォ。仕事はしたよォ。吾がえ（家）の仕事も精一杯。頼まれれば田植えサも行った、稲刈りサも行った。この人（と自分を指して）が頑張らなきゃ、誰が頑張る？って、無我夢中で来たよ。他所さまの手間取りにも行った（頼まれ仕事もした）。他所より吾がえの田んぼの仕事は遅れても、頑張った。田んぼは他所の小作もしたったけど、1町8反あった。

ほいで平屋で80坪の家建てる時にサッシ代89万8000円、郵便貯金下ろしてオレが出した。オヤジの金だなんて言わねぇよ、黙ってオレが出したら、オヤジさん「ホォ！」なんてやっちゃ（言った）。80坪の家は実家の姉さまの婿さま棟梁に建ててもらった。お寺さんみたいないい家だった。近所には、出来上がった吾がえを手本にして家を作った人たちもいるよ。

そいつをあの津波は、ガラーッと1分や2分でナァ。

旦那はクモ膜下、脳溢血で亡くなって、今年（2016年）で11年、78歳だった。いいオヤジだった。金取ってくるし、よそづら良いし（他からの評判が良い）」

私が初めて宮ちゃんに会ったのは、前述したように震災の年の11月で、原町の高見町第2仮設住宅でだった。6畳一間の住まいには小さな棚が設えてあり、津波で亡くなった娘と孫の位牌と遺影が飾られていた。快活な口調で元気そうな女性だったが、睡眠薬がないと眠れないと言っていた。年が明けてからの一時期、落ち込みが激しくて睡眠薬や安定剤の量が増えて案じたが、その後「笑っていなけりゃ死んじまう」と言って、紙芝居やかるた、すごろくなどを自作して仮設住宅の仲間たちを集会所のお茶会に誘い、元気付けてきた。それらは絵も言葉も軽妙で、ポンチ絵のような味もあった。また仮設住宅の仲間を誘って「宮ちゃん一座」を組み、自作の寸劇や踊り（衣装や小道具も手作り）で住民を楽しませるばかりでなく、市内の介護施設や横浜や松戸などの施設にも出張訪問して笑いと元気を届けてきた。ちょっぴり下ネタを含んだ寸劇は、観客を沸かし笑いを誘った。

２０１５年７月に仮設住宅を退去して災害復興住宅に転居して「宮ちゃん一座」は解散したが、今度は「最近の子どもはゲームばっかりだけど、体を使う遊びが大事だよ」と言い、お手玉やメンコ、羽子板と羽根などを作り、自分の子や孫が世話になった幼稚園や小学校に贈ったりもしている。メンコや羽子板は空箱の再生利用でのことだ。そうした遊び道具を作るのは自分にとってのリハビリだと、宮ちゃんは言う。

話し続けた宮ちゃんがふとお茶を飲んで声を休めた時に、「宮ちゃんの子ども時代って、どんなだったんだろう？ 絵を描いたりお話を作るのが好きな子だったのかな？」と、私は聞いた。お茶を飲んで宮ちゃんは、また語り出した。

「んだなぁ。絵を描くのは好きだった。吾が実家でもヨ、絵の具なんて買えねぇべ。子どもの頃は土間だべぇ？　石ころでも棒切れでもなんでも、そこでこうやって描いてたなぁ。なんでもかんでも、こうやって描いてる童（わらし）だった。

今は、仮設にいた時の自治会や、萱浜の有志会なんかでも集まりがある時には、みんなから『集まりにオメェ居ねぇではダメだ。明るい人、賑やかな人居ねぇではダメだ』なんて言われっけど、学校時代オラはこんなでねかったんだ。オラは苦労で苦労でな。みんなは良い生活してたからな。みんなスカートはいてる時も、オラは絣（かすり）のモンペ、縞（しま）のモンペ。ほいで学校の門の入り口さ、雑貨店が在ったのさ。そこさ、スルメだの炒り豆だの食うもの売ってたのナ。家庭の豊かな家では銭5円だの3円だの持って来んだよな。ほして買うのな。オラはほれを眺めて、歩ったど。銭ねぇから。（涙声）

家さ帰って来れば明日の糧（かて）ご飯、大麦を竈（かまど）で煮て。ほうやってオラ生活してきたんだ。語ればきりねぇ。腹ムチしなけりゃ（お腹が空いてては）だめだから塩持って歩いてな、実あればもいでな、スカンポあれば折ってな、カリカリカリって、オラ食ってた時代だった。みんならは家庭が豊かな人だから、そんな苦労は知らねぇ。昔振り返ってみっと、『オレの力で稼がなけりゃ誰が食わしてける』って時代だった。

昔はな、学校で合同慰霊祭があったんだ。オラとこは一家でよったり（4人）も戦死した。父さんとおんちゃん（叔父）2人、おばちゃんは挺身隊で。お国のために戦って4人も死んだ誉れの家と言われて、オラは式に並んだ。そん時オラは小学4年生。白黒の写真でオカッパさんで並んだ後ろ姿の写真があって、萱浜の家に持ってたけど、それも津波で流されちまった。

一枝さん知ってっと思うけど石ナゴ（おはじき）で遊んだ時、歌ったべ？　♪一列談判破裂して♪って歌ったな。それから♪異国の丘♪なんて歌。みんな歌の通りだ。あとはな、覚えてるのはこんな歌。♪母ちゃん作った日の丸弁当、一人食べ食べ汽車の旅。……片親育ち、泣いて拝んだ靖国神社、紅葉のような手を合わせ♪、経験した人でねぇと判んねぇ。その歌詞オラ知ってんだけど、全部が判らんねぇ。小学3年か4年だったからなぁ。福島NHKで希望音楽会って番組があっけど、あれにリクエスト出そうかと思ってんだ。全部判んなくても、あっちこっちの歌詞あれば判るべ？　ほんなことも、自分ながらの苦労経験だ。

（娘時代には）家ではお蚕（かいこ）さんもやってて、160も居た（これは蚕の頭数ではなくて蚕棚の数を指すらしい。棚1枚が畳1畳ほどもあっただろうか）。種蚕だからメスオスを選り分けに、伊達から振り分けるご婦人たちが毎年来んだ。娘ではねぇ。ご婦人たちだ。白い割烹着（かっぽうぎ）着て白いスカーフかぶってやんだ。ほいつのまんまかせんのは（その人たちにごはんを食べさせるのは）この人（自分を指して）がやってたんだ。２０人くらい泊めてやっけど、銀飯ばかりもかせらんねぇから麦入れて、昔は味噌漬けだの沢庵（たくわん）だののご馳走で夜だけだがかせて、朝は作業所でかせてたんだべ。お風呂は吾がえは五右衛門風呂だったから、家では入らんねぇから、大原の湯さ行って、家は寝泊まりするだけだが、１８人から２０人と居たから大変だったよ。毎年１０日ほどだけだったけどな。

そっちこっちの桑（蚕の餌になる葉）刈ったり貰ったりして、桑の葉っぱ運ぶにも自転車のケツさリヤカー引っ付けて、1日3回も通ったんだよ、１６０の蚕さんのために。他にもやってた家はあったけど、２０とか１０幾つとか、少ない。吾がえは総2階、下の６つ部屋、上の６つ部屋、蚕さん置いた。桑さ持って2階さ運ぶのも大変だったよ。1日3回、1回に何遍も上ったり下りたり。

吾が人生はいろいろだ。その苦労がこうした時に実になった。起きちゃったことに対して愚痴ばっか言ってたら、話がまとまらない。どこさ行ったたってヨ、日本全国回ったって、気持ちがひん曲がってたらダメなんだ。自分ながらにそう思うよ。平らでさえあれば、いつかは報いがくると」

「語ればきりねぇ」宮ちゃんの話から私は、原発事故で人々が離散してしまった大原の、かつての暮らしを窺い知るのだった。

土地の記憶――黒沢ヨシ子さん

黒沢ヨシ子さんは小高区井田川の自宅が津波で流され、夫と娘を亡くし、鹿島区の小池第3仮設住宅に住んでいる。入居者は、自宅が避難指示区域となってしまった小高区に住んでいた人たちだった。これはその仮設住宅で開いたぬいぐるみ講習会で、出来上ったウサギのぬいぐるみに「まゆみ」と名札をつけたヨシ子さんの暮しを通して知った、過ぎし日々の小高の姿だ。

南相馬市小高区は江戸時代まで小高郷と呼ばれ、1889（明治22）年に小高村、金房（かなぶさ）村、福浦村に、1898（明治31）年には、小高村は小高町になった。1954（昭和29）年には、もともと地域の結びつきが強かった小高町、金房村、福浦村は国・県の町村合併モデル指定で小高町となり、さらに2006（平成18）年、平成の大合併時に小高町、原町市、鹿島町が合併して、南相馬市小高区となった。

ヨシ子さんは1940（昭和15）年、金房村大富で生まれた。上に4人、下に3人のきょうだいがいた。妹の一人は夭逝した。

「生まれたのは戦争中だったから、小ちゃこいときは、アメリカ爆撃機も見たよ。砂山（後述する硅砂の山）の方に向かって、こうやって飛んで来んのよ。襲撃が来っと、草履履いて母ちゃんの後追いかけて逃げたんだよ。山ん中に家さあったでしょう、その山めがけて飛行機が来んのよ。乗ってる人の顔見えんだからねぇ。山ん中、手ぇ引かれて逃げたけど怖かったねぇ。

父ちゃんは銀砂軌道の管理人で監督をする仕事で、母ちゃんも手伝ってた。

戦争が終わって小学校は鳩原に通った。学校行くのに今みたくランドセルなんか無いから、ナンキン袋を縫ってもらったの下げて、わら草履履いて行ったなぁ。風呂敷の子もいたよ。だけど風呂敷だと途中でバランバランになっちゃったりしてねぇ。ナンキン袋のが良いから、オラにくれなんていう子もいてね。

小学校の鳩原まで家から2里、いや1里半くらいかな？ そん位あったから、帰りに履くわら草履を腰に下げて行った。草履は父ちゃんが編んでくれんのよ。行くときは山道歩きながら焚き付けになりそうなのを見つけながら行って、帰り道でそれを拾って帰るの。だから学校で勉強中も、焚き付けを見つけたとこ忘れんように、そればっか考えてっから、勉強は頭に入らんねぇんだよね。
家に帰ると拾ってきた焚き付けで火起こしして、ご飯の支度するのよ。姉さん達も兄さんも働きに出てたから私がやってたのよ。母ちゃん帰ってくるまで、バッチ（末子）がまだ小ちゃいからお腹空いて泣くでしょう。母ちゃんがやってたように真似してやんだけど、ミルクなんか無いから、米のとぎ汁を哺乳瓶に入れて飲ませてねぇ。米洗ったり野菜洗ったりは、みんな川でやってた。そん時に、一個っきりない哺乳瓶の乳首を流しちまったことあってな。家に帰ってバァちゃんに言ったら、乳首はまた買えばいい、お前が怪我しなくてよかったって言われたけんど乳首なんか町でなきゃ、買えないもの、切なかったなぁ。

学校にチョコレート持ってきた子がいてな、家に帰ってから、母ちゃんにチョコレート欲しいなぁって言ったっけ。したら寝て起きたら、小ちゃな皿に砂糖いっぺぇ載っけて、そうっとだしてくれてな。砂糖はあったんだ。百姓してるとこは米あったの。百姓してない家には、配給の砂糖はあった。米が無くなっと、砂糖持ってって交換するのよ」。

銀砂軌道は、小高金山（かなやま）地区で産出する硅砂を、精製加工場まで搬出するために敷設された軌道だ。銀砂というのは花崗岩が風化して生じた石英（せきえい）粒で、硅砂の別名である。福島県会議員だった半谷清寿（はんがいせいじゅ）（１８５８～１９３２）が１９１２年に小高金山地区に硅砂を発見し、１９１３

（大正2）年、小高駅前に小高銀砂工場を設立した。半谷はこれを「ビリケン印硅砂粉」の商標で、ガラス原料として販売した。設立当初は山中で採掘した後、馬車で工場まで運び人力で粉末化していた。

昭和に入って硅砂の需要が高まり、また粉末精製の機械化によって産出量も増大したことから、軌道が敷設された。軌道は金山から飯崎（はんさき）までで、そこから加工場までは車で運搬した。ガラスの原料の硅砂は、戦時中はゴーグルや軍用車両、戦闘機の風防ガラスの原料として使われもした。

戦後は品質の優秀性からセメント試験用標準砂として規格制定され産業復興に貢献したが、海外からの輸入硅砂の増加や高級特殊硅砂需要の減少を受け、1976年、工場操業を停止した。

ヨシ子さんが4年生の時に、銀砂軌道の監督だったお父さんが亡くなった。

「父ちゃん亡くなった時は、あの頃は葬式は夜にやるのよ。葬儀屋は無いからね、組の人たちでやるの。お棺をリヤカーに乗せて山ん中の細い道を引っ張って、先松明（たいまつ）、後松明って持ってな、みんなで後ろと前と引っ張って押してな、大勢で行ったよ、子供も付いてったもの。穴掘って、そこへそうっとおろして土を被せていくんだ。そうやって穴に埋めんだけど、水の無いとこへ埋める時はいいのよ。水あっとこへ埋めるのは大変だ。水あっから、浮いてくんのな。だから浮いてこないように人が乗っかって沈めて、だんだんに土かぶせてくんだ。せっかく（そこまでは）きれいにやったのに、山だから場所によっては水（水脈に当たる）があるんだ。埋めた後は土盛りして墓石を印に置いた。父ちゃん埋めたとこは水は無かった」。

この頃は土葬だったのだ。土葬の時代の葬列は地域の人たちが皆で送り、死者があの世へ向かうのを認知する社会的な手続きだったのだろう。その後ヨシ子さんが結婚して年月も経てから、埋葬地から御遺骨を掘り上げ墓地に改葬したという。

「父ちゃんが死んでからも、母ちゃんは軌道で仕事してた。トロッコに轢（ひ）かれて足無くしたバッチの弟が金房小学校へ入学して、私も鳩原は4年生までで、あとは金房小学校になったから、学校行く時は、母ちゃんがトロッコに私ら3人乗せて行くんだ。銀砂積んでないトロッコな。母ちゃんは行く時いつも薪（まき）持ってくのよ。そうやって学校道（がっこうみち）まで送って、そこで焚き火すんのよ。下からトロッコが上がって来るのを待ってる間、私ら焚き火にあたってな。寒いからね。母ちゃんが『暖まって行けな』って言ってな。そうやって学校まで送らっちの。

母ちゃん、運転うまいんだ。行きは下り坂だからブレーキかけながらトロトロ走る。帰りは下から押してもらって、足でこうやって（と言ってヨシ子さんは仕草を見せながら）漕いで行くのな。走ってるうちに脱線しちゃう時もあるのな。姉たちはあんまり学校行かずに、働いてたなぁ」。

町村合併で小高町になる前であり、飯崎が町と村の境だった。母親は末子が小・中学校通学の9年間、1日も休まず送り続けた。弟の小学校、また中学校の卒業式では、母子共に壇上で皆勤賞を貰ったという。

この家族を知る人から私は、「あの家の人は、みんな働き者だったよ。亡くなった旦那さんは、本当によく働いた人だったし、子どもたちもみんなよく働いてたな」と言うのを聞いた。

その後ヨシ子さん一家は小高町の借家に引っ越し、ヨシ子さんはそこから金房中学までの約2キロを自転車で3年間通った。中学を卒業したヨシ子さんは小高の柏屋薬局に奉公に行った。中卒の子供達が金の卵と言われて、集団就職で上京していた頃だが、ヨシ子さんが生まれた時に父親が柏屋と約束して奉公を決めていたという。ヨシ子さんは中学の卒業式を終えたその足で、セーラー服のまま柏屋へ行った。セーラー服を、柏屋のお母さんが買ってくれた服に着替えて、そこで7年間働いた。洗濯や賄いの仕事で、当時は洗濯機も無かったから、家族みんなの洗濯物をリヤカーで運んで川で洗ったという。「行く時はいいんだよね。だけど帰る時はリヤカーが重くてねぇ」とヨシ子さんは言ったが、冬の川水はどんなにか冷たかったことだろうと思う。給金もなく休みは正月だけで仕事はしっかりやらされ、しつけも厳しかったが、虐められたことはなかった。この話を一緒に聞いていた大井君代さん（１９３４〈昭和９〉年生）が、「柏屋にいたの？　それはいい社会勉強したわ。いいとこに行ったわ」と言った。君代さんも小高の人だから、当時の様子を知っての言葉だった。

中学を卒業したばかりの１０代を育てる社会的機能が、〝奉公〟という形態に残っていた時代だ。もちろん奉公先によっては扱いの悪いところもあったろうが、ヨシ子さんの行った柏屋薬局は当時でも評判の〝優良企業〟だったようだ。それはこの時のヨシ子さんの言葉からも窺える。

中学校卒業後、小高の柏屋薬局で年季奉公に入ったヨシ子さんは、７年間の奉公の後、世話をする人があって２２歳で黒沢剛(たけし)さんと結婚した。「柏屋から嫁に出してもらった。タンス一棹(さお)、裁板(たちいた)・張板(はりいた)、それに赤ん坊が生まれた時に使うようにって、新しい杉板で作った盥(たらい)持たせてくれて、嫁入り衣裳もみんな作ってもらった」。

裁板は布を裁断する時に使う板、張板は布を洗って糊付けする時に使う板で、この頃の暮らしの必需品だった。ヨシ子さんは、柏屋のお母さんに婚礼衣裳を着せてもらって嫁いだという。タンスの引き出しには、新しく仕立てた着物や何枚かの衣裳、ふだん着のモンペも入っていた。

嫁ぎ先の剛さんの家は、海辺の井田川地区だった。

井田川は干拓地だった　井田川から浦尻（うらじり）、蛯沢（えびさわ）付近一帯は井田川浦と呼ばれていた。官有地であった井田川浦が１９１９（大正８）年に民間に払い下げられ、旧石神村の村会議員の太田秋之助が干拓事業に取り掛かった。太田は父から受け継いだ土建業、太田建設の技術や資金をつぎ込んで取り組んだ。

浦の周囲の田は大雨のたびに浸水し、米作への被害が大きく、洪水も起きて住民は苦労していたが、浅い浦を干拓すれば水害を防げ、また耕地を広げられることから取り組まれた事業だった。大変な難工事で、１１年の歳月をかけて１９２９（昭和４）年、ようやく完成し、１８５町歩を開田した。一躍大地主になった太田は干拓事業中の１９２７年に県会議員に当選し、２０年間県政に携わり、その間副議長、議長も務めた。新しくできたこの土地の行政区は１９３１年に「大字井田川」とされた。

太田は干拓完成前の１９２４年から昭和の初めにかけて、全国から新しい水田での耕作者を募り、６０戸ほどの家が集まった。その条件は住宅１戸建が３５円、地主から借りる水田面積が２町３反（２３０アール）、地主へ払う小作料は収穫した米の２分の１だった。その頃各地で小作料を巡って地主との間に小作争議が起きていたが、井田川でも争議が起き、全面的に小作側の勝利となった。

戦争が終わって1年半後の1947年2月の農地改革で、入植者たちは皆自作農になった。蛇足ながら太田は、1946年に衆議院議員に当選した。

難工事だった干拓事業で太田の手足となって働いたのが、剛さんの祖父にあたる鳶職（とびしょく）の黒沢正雄だった。大型機械のない時代だったから、ツルハシ、モッコを使っての、全て人力による工事だった。湾に注ぐ宮田川の水を海に流すための水路や排水の海口部に水量調節のための水門工事など、鳶頭の正雄さんが現場監督として心血注いでの難工事だったという。そして干拓工事に身を挺した正雄さんも、井田川に土地を得た。井田川地区の小高い場所に在る井田川神社境内（けいだい）には、この干拓事業の顕彰（けんしょう）碑が建つが、そこには太田秋之助の名と共に黒沢正雄の名も刻まれている。

ヨシ子さんの結婚相手の剛さんは5人兄弟の三男だが、中学3年生の時に母親を亡くしている。兄二人は高校に行ったが、母親の闘病で苦しくなった家計を考えて、剛さんは中学を卒業すると働き始めた。弟二人が高校へ入学できるよう助けたい思いもあってのことだった。18歳からは黒部ダムの建設現場に行き、建設に関わっていた。黒部ダムの完成は1963年だが、それより少し前から下請けの労働者たちの仕事は減ってきており、剛さんはダムが完成する前年に家に戻り、長兄が働いていた活版屋に一時期勤めたが、やがて漁船員の仕事に就いた。イカ釣りやサンマ漁の近海漁業の船だ。

二人の結婚は１９６２年、剛さんが出稼ぎの漁船員の仕事をしていた頃だ。同年、長男が生まれ、２年後に次男が生まれた頃に剛さんは漁船を降りて、青森で風力発電建設の仕事に就いた。日本の風力発電機製作の先駆者、名寄市出身の山田基博（もとひろ）が考案した山田風車だ。

山田風車は独特の構造を持ち、弱風でも発電を開始し、強風の時には風を避け、発電効率も高く耐久性にも優れた高性能の風車だといわれている。山田基博は１９３９年に稚内の漁村に風力発電機を設置し、１０年後の１９４９年には山田風力電設工業所を設立した。山田風車は日本各地に建設され、南米やアフリカにも輸出されて、１万基が建設された。しかし、その後日本各地で電力化が進み、１９６０年代には役目を終えたというから、剛さんが建設に関わったのは、その終焉（しゅうえん）の頃だった。

「初めて田んぼに行った時な、田んぼン中で踊ってる人が居んのな。男の人と女の人があっちとこっちで、こんなして（と身振りをつけて）手ぇヒラヒラして足上げたり降ろしたりしてんのよ。『あれ？　なしてあんなとこで踊ってんだべ？』って言ったら、『ばか、よく見てみろ』って言われっち、なぁ。けど、私には阿波踊り踊ってるみたく見えたんだなぁ。

自分が田んぼン中さ入って、初めて判ったのよ。ズボズボ潜っちまうからな。だって、ここまで（膝上の腿のあたりを指して）潜っちゃうんだよ。柏屋さんで持たせてくれたモンペも短く切ってブルマみたく直して、そんで田植えしたんだよ。田んぼは板の下駄履いて入んのよ。んだけど、揺れて揺れて、なぁ。踊ってるみたく見えたのは、バランス取んのに手や足動いちゃんだなぁ。

端っこより真ん中はもっと揺れて大変で、私は端っこばっかやってたけど、そんでも揺れて転びそうになんのな。そいで田んぼの土手に捕まっと、あっちの方で『おーい、何すんだぁ！』って怒鳴られっちな。土手に手ェつくと田んぼが全部揺れて、あっちの方にいた人が転んじまうんだよな。草取りだってしなきゃなんねぇべ？　それも田下駄履いてやんのよ。田んぼなんかそれまでやったことなかったからなぁ、いやぁ大変だったよぉ」。

ヨシ子さんの生家は小高の山の地域で、父親は銀砂軌道の監督で、母もその仕事を手伝っていた。家には畑も田んぼもなかったから、それまでに農耕作の経験は全くないヨシ子さんだった。

田植えも大変だが、収穫時の刈入れもまた、一苦労だった。

「刈入れん時はな、刈った稲を船みたく板に載せていくんだわ。船の上いっぱいになっと、船の先っぽにつけた紐で土手の方さ引っ張ってってそこで降ろし、また続きを刈っていくのな。よろけそうになっと、後ろから舅の寛が私の襟首掴んでな。「ヘコヘコすんじゃねぇ」なんて怒鳴られてな。けど、舅は田植えも刈入れも手ェ出すわけじゃないんだよ。飲んべぇでなぁ、昼間っから飲んでんだ。そんで時々見に来んだな。田んぼは1反が１０枚だから1町歩だよな。1町歩の上あったから、ほんと大変だった。それも今みたく2反3反が繋がって1枚じゃないんだな。あっちに1枚、こっちに1枚だべ、大変だったヨォ。こっちに水入れれば、あっちが洩れちまったりな。それ全部私一人でやったんだヨォ。それまで田んぼなんかやったことなかったのに。周りに教えてもらってなぁ。井田川の人はみんな、元っから小高の人じゃなく、入り込み（他所からの入植者）の人だったな。６０戸くらいあったな。

刈入れが済むと稲を干すのに木架けするべ？　それも私が一人でやったんだよなぁ。長い竿をリヤカーに載っけて運ぶのに、どうやって動かせばいいか判んないもんだから、タイヤの方に行って後ろから押して行ったのな。したら見てた人が『ヨッちゃん、そうやんじゃねぇだよ。前さ行って竿まとめて掴んで舵取りながら引っ張っていくだ』って教えてくれたの。

そんで乾いたとこ行って木を組んで、稲を束にして縛って架けてくでしょう？　後で見っと、組んでた木がペシャって潰れちゃってんだよ。んだから夕飯食べてからまた行って一人で直したりしてなぁ。イヤァ、苦労したよぉ」。

ヨシ子さんが井田川の田んぼで初めての田植えを経験したのは、干拓が完成してから三十数年後のことだったが、その頃もまだ大変な泥田だったのだ。その後、川底を掘り下げ、排水機場も新たに造られ、田下駄を履かずとも田植えができるようになったのは、それから数年後だった。

初めて田仕事をした新婚時代を今だから笑って話せるヨシ子さんだが、その頃は夫の剛さんは出稼ぎで留守だった。幼子を育てながら慣れない田仕事を一人でするのは、どんなに心細く大変なことだったろう。漁船に乗っている剛さんは、青森でのイカ釣りもサンマ漁も漁が続く間は家には戻れない。ヨシ子さんは思い余ってある日、次男を背負って夫がいる青森まで出かけて行った。宿舎の住所も判らないが乗っている船の名は知っている。港に着いて近くの商店で船の名を言って、船主の所在を教えてもらった。剛さんは突然やって来たヨシ子さんを見て、どんなにか驚いたことだろう。しかし決して怒りはせずに「仕方ないなぁ」と言って、妻子を井田川に送り届け、また青森に戻って行った。

ヨシ子さんがそんな風に青森の剛さんに会いに行ったのは、一度だけではない。次にまた行った時にも剛さんは怒らず、「今こんな仕事をやってんだぞ」と、建設に携わっている風車を見せてくれた。山田風車の建設は、剛さんにとっても誇らしく思える仕事だったのではないだろうか。

風車建設も1966年に終わって、剛さんは井田川の家に戻った。翌年3人目の子ども、今度は娘が生まれた。上二人は男の子だったので、3人目に生まれた娘は家中の宝物のようだった。剛さんは出稼ぎを止めて家から通える仕事を求め、原発の作業員になった。そして60歳の定年まで勤め上げ、その後は作業員ではなく倉庫番として原発で働いていた。剛さんは、酒呑みでくせの悪い父親の姿を見て育ったから、酒は飲まず優しい人だったという。子ども達も成人して夫婦で旅行にも出られるようになった頃、一緒に懐かしい青森へ行ったことがある。「あれは函館の灯だよ」と遠くを指して教えてくれたという。

あの日の朝、家族はそれぞれ仕事や学校に出かけ、その後ヨシ子さんも買い物に出ていた。出先で、これまでに体験したこともないような大きな地震に見舞われた。揺れが収まるとヨシ子さんは、小学校6年生だった孫の学校へ急ぎ、孫を迎えると次にその近くに住む叔母の家に向かった。叔母の家にあった布団を乗って来た軽トラの荷台に積み、孫を荷台に移らせて布団で包んだ。そして叔母を助手席に乗せて、福浦小学校の体育館に向かった。だが翌日原発が爆発してその避難所も閉鎖となり、そこから市民文化会館の〝ゆめはっと〟に移ったが、そこは避難者であふれていた。

さらに原発の危険が高まり、人々は差し向けられたバスで他県の避難所へ向かったが、ヨシ子さんはバスには乗らず、避難所になっている市内の石神小学校の体育館に行った。息子たちの無事は確認できていたが、夫と娘がどこにいるか判らない状況では、南相馬を離れたくなかった。無事で、の願いは叶わず二人は相次いで遺体で発見され、ヨシ子さんは息子たちと葬儀を済ませた。お坊さまは懇ろに弔ってくれ、ご遺骨は菩提寺に預かってもらった。

避難所で救援物資として配られるのは、冷えた小さいおにぎり1個だった。学校の給食室ではガスが使えることがわかり、ヨシ子さんは備蓄や差し入れの野菜や調味料で、温かい汁を作って体育館で過ごす避難者たちに供した。役所の職員に備蓄の米の使用も許されて、米を炊きおにぎりも作った。炊きたての湯気の立つご飯で、毎日一体どれだけのおにぎりを握ったことだろう。手のひらは熱さで麻痺したようになっていた。避難者はヨシ子さんが自発的にボランティアとして皆の食事を作っているとは気づかず、ある日疲れたヨシ子さんが食事を供するのを休んでいると、「役所の人がサボってるのか」と言われ、ヨシ子さんが市の職員ではなく自分も避難者だと言うと、それからは手伝ってくれる人も出てきた。

20キロ圏内一時帰宅が許された時に自宅付近まで戻ってみると、運転席にキーがついたままの夫の車を見つけた。剛さんは家に帰ろうとして、ここに車を止めて降りたのだろう。免許証も車の中にあった。「おとうさん、私が乗っからねぇ。お父さんが座ってたとこに、吾(わ)が座っからねぇ」。それからはヨシ子さんがそのワゴン車に乗っている。

6月に鹿島区に仮設住宅ができるまで石神小の避難所で過ごしたヨシ子さんは、小池第3仮設住宅に入居した。

長男家族は家族用の住居へ、ヨシ子さんと次男はそれぞれ独身者用の住居へ入居した。着替えも家財道具も何もなく裸同然の被災者だったが、公的支援のほかに各地から支援物資の衣服や食料が届くことが有り難かった。子どもの頃の貧しかった日々、明日の米が心配だった暮らし、通学の途中で焚き付け用の枝を探し、家に帰るとすぐに火をおこして食事の支度にかかっていたあの頃の苦労に比べたら、これ位の不自由は何でもないと思えた。心にある大きな穴は、夫と娘を亡くしたことだった。

この仮設住宅の入居者はみんな小高の人たちだが、震災で家族を亡くしたのはヨシ子さんと渡部ハルイさんの二人だけだった。ハルイさんは井田川の隣の集落の浦尻の人で、消防隊員だった孫息子を亡くしている。ハルイさんとは多くを語らずとも心の触れ合いを感じたが、他の人には心が開けずに自室に籠っていることの多いヨシ子さんだった。

そんなヨシ子さんを誘い出してくれたのは、渡辺数子さんだった。数子さんの家は井田川の北の集落の村上で、やはり家は流されたが家族は無事だった。

ある日「黒沢さん、籠ってばっかりじゃダメだよ。畑をやるから出ておいで」と数子さんに声をかけられ、六角支援隊の用意した畑に一緒に出るようになった。ヨシ子さんはそれをきっかけに集会所の催しにも積極的に参加するようになり、また催しがなくても集会所に居て、他の入居者たちに「お茶飲みにおいで」と声をかけるようになった。数ちゃんに誘われて自分も笑顔を取り戻せたように、自室に一人で居るよりも、みんなといれば笑って過ごせると思ったからだ。

私がヨシ子さんと初めて言葉を交わしたのは、集会所でぬいぐるみ講習会を開いた時だった。作った人形には名前をつけて、大事に可愛がってくださいと言うと、ぬいぐるみの胸に「まゆみ」と書いた白い名札をつけて見せてくれたのがヨシ子さんだった。「まゆみちゃんってつけたんですね」と私が言うと「そう、娘の名前」とヨシ子さんは答えた。ヨシ子さんから話を聞かせてもらうようになったのは、それからのことだった。

やがて「ヨッちゃん」「数ちゃん」などと互いにちゃんづけで呼び合うようになり、大抵いつもヨシ子さん、ハルイさん、数ちゃん、くにちゃん、三瓶（さんぺい）さん、西山さん、大江さん、ゆりちゃん、などと大勢が集まっていた。イベントがない日にも集まって、お喋りしながら縫い針や編棒を手に手芸品を作っていた。自宅はみな小高区だったが、海寄りだったり山側だったりと居住域も違っていて、ここに入居するまでは顔も知らなかった人たちもいた。被災前の暮らしも、被災後の仮設入居までの体験も様々だったが、集会所に来れば「お茶っこしながらお喋り」の時を過ごし、ここにはいつも、笑いが溢れていた。ここに集うのは、20キロ圏内の小高区から核災害によって吹き寄せられた、悔しさを共にする仲間たちだった。

だが仮設住宅からは、やがて退去せざるを得ない。みんなここに来るまでに、それぞれ過酷な日々を過ごしてきた。避難所を何ヵ所も転々としてようやくここに落ち着いた、親戚に世話になったが肩身が狭くて辛かった、県外に避難した息子家族と同居したが狭いアパートでは家族間でしょっちゅう諍(いさか)いが起きたなどを経て、ようやく明日の朝を思い煩わずに済む日々を取り戻していた頃だったから、誰ともなく「みんなで一緒にここに居たいね」という声も出たりした。しかしそれは話の上だけのことで、2013年になると退去後を具体的に考えるようになっていった。

最初に抜けたのはくにちゃんだった。原町区の新居に引っ越していった。「くにちゃんから、毎日電話掛かんだわ。『みんな居っかぁ？　何してんだぁ？』ってな。くにちゃんちの周りは前からそこに住んでた人たちだから、馴染めないんだなぁ」。次に抜けたのは三瓶さんだった。隣の相馬市に家を建て、被災前のように子どもや孫も共に暮らしているが、そこから週に一度は集会所の仲間に会いにやって来た。そして数ちゃんも原町に家を建てて出た。数ちゃんも、時々顔を出した。こうして一人欠け二人欠けしても、出た人も残っている人も誘いあって、時々バス旅行で温泉や紅葉狩りに行く。みんな仮設暮らしを共にした仲間たちだった。

２０１７年になると大方の居住者が退去し、秋にはヨシ子さんもハルイさんも引っ越した。ヨシ子さんはこの仮設住宅のすぐ近くに、ハルイさんは原町区に新居を建て、それぞれ子どもや孫と共に暮らしている。

南相馬市は２００６年に鹿島町と原町市、小高町が合併して南相馬市になったのだが、三つの地域の貌は、それぞれ違っているように思える。これは外部の者である私の感覚だけではないようだ。現地の人に聞いてもやはり三者三様で違うという。「鹿島は殿様の居たところだから古いものを大事にするし、小高は進取の気質に富んでいる。原町は他所から来た人たちが多い土地だ」などと言う人も居た。私はなんとなく感じる違いをうまく言語化できないのだが、土地が育てる気質のようなものがあるのだろうかと思う。

ヨシ子さんが息子たちと相談して、鹿島区のこの仮設近くの集団移転地に長男家族と同居の家を建てると決めた頃のことだ。彼女がポツリと言った言葉が、私の耳に残っている。

「小高の人が、鹿島の人になっちまうんだなぁ」。

小高区は東電福島第一原発から２０キロ圏内だったために、原発事故後に警戒区域となり住民は避難し、立ち入り禁止区域となった。区域が再編されて2012年4月16日から、日中のみ入ることができるようになった。その日、私は小高に入った。海岸辺りの地域はどこも、そこに田んぼや集落があったとは思えない光景だった。一緒に行った南相馬で生まれ育った友人は、「あ〜、海に戻っちゃった」とつぶやいた。震災から丸1年経っても、まだ海の水は引いていなかったのだ。干拓地が浦に戻ったようだった。

日中の立ち入りができるようになり、やがて水も引いて工事車両も入るようになった。浦はまた大地となり、乾いた大地の上に流された家の礎石が現れ、津波で流された家屋や車なども徐々に片付けられていった。ヨシ子さんは毎週のように自宅跡に行き、小さなお地蔵様を建て、辺りに花を植え、種を蒔いた。「花畑みたくしたいと思ってね。花がいっぱい咲いてたらいいでしょ」と言うヨシ子さんだった。だから地理に詳しくない私も、咲いている花群とお地蔵様を頼りに、ヨシ子さんの家の跡を見つけられた。

2015年に黒いフレコンバッグが辺りには積みあげられ、ヨシ子さんの家の跡には砂利や資材が置かれるようになった。2016年7月12日に小高区は避難指示解除となり、一部の帰還困難区域を除いて夜間の滞在も可能になった。自宅に戻る人たちも出てきて駅周辺には再開する商店もあり、人の気配のある小高区になっていった。だが、津波浸水域だった井田川は家も建てられず田畑も作れない。

やがて復興工事が進むと、井田川の一部地域は太陽光パネルと風車が建設される。また花木を植えて緑地公園のようになる。ヨシ子さんの家のあったところは道路になる。

「井田川の米はうまいんだ。浦の粘土質と干拓で後から入れた土との割合が良かったんだろうな。本当に美味い米だよ」と懐かしげに話してくれた人がいた。ヨシ子さんが田下駄を履いて植えた稲も、そんな「うまい米」を作ったことだろう。浦が干拓されてうまい米を産む田になった井田川だが、3・11後、またそこはすっかり様変りした。土地は記憶を持つだろうか？　土が入れ替えられたら、土地の記憶は途切れてしまうのだろうか？　そこに生きた人の暮らしは、そして土地の記憶は、語り継がれていくだろうか？　私の脳裏には、浦が干拓されて泥田になり稲穂が揺れる様、大津波に襲われ荒涼とした大地に建立された小さな地蔵尊と辺りに咲き群れるコスモスやサルビア、そんな光景が走馬灯のように浮かんで消える。

星の彼方に夢求め――羽根田ヨシさん

２０１１年が暮れようとする頃になると、六角支援隊では、物資を配るだけでは被災者の本当の支援にはならない、畑とビニールハウスを作ろうという計画が持ち上がった。仮設住宅近くの農家の小林吉久さんに相談して畑地を貸してもらえることになり、年が明けて2月に六角支援隊のボランティアたちでそこを鋤き起こし、ビニールハウスを建てた。畑の入り口には、「此の畑は、仮設住宅にお住いの方々が自由に使える畑です。みんなで野菜や花等を蒔きましょう　六角支援隊」の看板も立てた。そして3月、ぼちぼちと畑やハウスを利用する人たちが出てきて、六角支援隊の大留さんや荒川さんは仮設住宅へ物資を届けながら、その利用状況を見に畑に寄った。そんなある日、手押し車を押しながらやって来た女性が、「仮設住宅でなくて、そこのグリーン・コーポというアパートに居るんですが、使わせてもらえますか？」と言ってきた。原町区の馬場から避難してきていると聞いて、大留さんはもちろん快諾したのだった。

その夏の朝だった。私は荒川さんの車に同乗して、仮設住宅に向かっていた。6号線を左折して畑が見えてきた時に荒川さんが、「やっぱり、今日も来てるね。仮設住宅じゃなくて借り上げ住宅に住んでんだけど、ここに畑ができたの見て、一緒に使わせてって言ってきたの。草取りも熱心にやってくれるの」と、教えてくれた。それが羽根田ヨシさんだった。私たちは仮設に行く前に、まずその畑で車を停めた。

そんなふうに私がヨシさんに初めて会ったのは畑での事だったが、その時ヨシさんは私に「これは飯舘村のカボチャなの」と、元気に伸びているカボチャの葉を指して言った。その少し前に私は飯舘村の渡邊とみ子さんから、「『家の光』の記事を読んだ南相馬の人から、〝いいたて雪っ娘〟の種の注文がきた」と聞いたばかりだったが、それが目の前にいるヨシさんだったのだ。ヨシさんは、前述したようにカボチャ作りの名人で、自分の腹巻きでカボチャの種を温めるのがコツだと、初対面の私に人懐こく嬉しそうな笑顔で教えてくれた。土いじりが嬉しくてならない様子だった。

その後は何度かグリーン・コーポへお邪魔して、ヨシさんの来し方を聞かせてもらった。外壁と同じく緑色に塗られた階段を上がった2階の3DKの住まいが、息子夫婦とヨシさんの3人の避難先だった。行くたびにいつも、野菜の煮物や漬物などヨシさんの手料理をご馳走にな

りながら、話を聞かせてもらうのだった

ヨシさんは1930（昭和5）年5月、浪江の津島で生まれた。家は貧しい農家だったが、両親は5人の子どもたちをみな高校に通わせ、ヨシさんは小高の農業高校を卒業した。母親の口癖は「百姓は食いっぱぐれない」だった。

「二十歳の時に縁談があってお見合いに、相手の家に行きました。風呂敷包み抱えて母と二人で津島から昼曽根（ひるそね）までバスに乗って、昼曽根の茶屋で休んで、そこから歩いて山二つ越えて、途中で風呂敷に包んできた着物に着替えて、馬場の羽根田の家に着いたの。昼ご飯頂いて縁側で休んでいたら男の人が来て、『すみませんが、少し僕に付き合ってください。いろいろ教えますから、僕と一緒に来て話を聞きながらよく考えてください』って言ったの。驚いたけど、この家の人だし、変な人ではないようだったから、付いて行ったのね。家の広い畑や山林を見せながら、『僕はこの家の三男の利夫です。家を継いでいた兄は戦争で死にました。残された兄嫁のシゲは息子に早く嫁を見つけて家を継がせたいと思っていましたが、その息子も戦死して、あなたの見合い相手はシゲの次男の二三男です。僕の甥で悪い男ではないが、絵を描いたり音楽を聴いているのが好きで、働き者ではありません。あなたが嫁に来たら、あなたは夫の代わりに身を粉にして働かなければならないです。ここの畑は砂地だから米はあまりできないし、敷地も雑木林だから大変です。だけど自分の家族を褒めるのは変ですが、この家の人たちはみんな、僕の両親で隠居の爺さん、婆さんも、兄嫁であなたには姑になるシゲも、嫁虐めなどは決してしない人です。それでも嫁に来るかどうか、よく考えてください』と言って、さっさと母屋に戻ってしまったの。でも、このちょっと変わった人が一緒に暮らす叔父さんなら、間違いがないかもしれないと思って、羽根田の家の嫁になったの」。

それからのヨシさんは、利夫叔父さんの言葉の通り、身を粉にして働く毎日だったことだろうが、私はヨシさんから苦労話を聞かされてはいない。

ヨシさんが嫁いだ頃、利夫さんは原町の電気店に勤めていたが、或る日突然に「東京に出稼ぎに行く」と言って出ていった。皆は心配したが、給料が安い地元で働くよりも、厚生年金を受給するようになる老後を考えると、少しでも収入の多い東京で働く方が良いと考えてのことだった。

何ヵ月か過ぎて利夫さんから1通の手紙と小包が届いた。手紙には元気で働いているから心配しないようにとあり、小包はヨシさんの子ども達への本やお菓子だった。それからは毎月小包が届くようになり、学年に合わせた本や身長に合う服、菓子やバナナなどで、物資のない時代だったから子ども達にはとても嬉しいことだった。それが毎月のことだったから、家族中で感謝の気持ちを表そうと「ハネダタイムス」と名付けた新聞を作って送るようになった。子ども達は学校のこと、ヨシさんは部落のことや家のことを書いた。利夫さんは決して高給取りではなかったが、家族全員に毎年小遣いを送ってもくれた。

苗代の種まきも済んで一息ついていたある日、利夫さんから1通の書留郵便が届いた。手紙にはヨシさんに東京見物に来るようにと書いてあり、旅費が同封されていたのだった。ヨシさんが学校へ通っていた頃は戦争中だったので修学旅行などもなく、東京へ行ったこともないのを知っていてのことだった。子どもたちも大きくなっていて、置いていっても心配ない時期であり、家族も快く送り出してくれてヨシさんは心弾ませて車中の人になった。上野駅に着くと利夫さんが迎えてくれて、ヨシさんは東京の人波に驚きながら宿に案内された。通された部屋の隅には赤いバッグがあって、前の人の忘れ物かと思ったらそうではなく、利夫さんがヨシさんのために用意してくれた洗面道具一式が入っていたのだった。「叔父さんの心遣いには本当に感激して、忘れられないです」。

東京タワー、浅草、銀座、大きなデパートに行き、はとバスにも乗り、生まれて初めて「うな重」も食べ、ヨシさんは3泊4日の東京見物を終えて上野駅まで送ってもらい家に帰った。利夫さんはカメラを片手に何枚もの写真を撮ってくれていたが、ヨシさんが帰宅して何日後かに利夫さんからアルバムが届き、一枚一枚の写真に丁寧に説明が書かれていた。それればかりか、アルバムは同じものがもう1冊あって、「1冊は実家のお母さんに送ってあげてください」と手紙が添えられていた。

この細やかな心遣いをする利夫叔父さんというのが、「ハネダ・カンポス彗星」発見者のアマチュア天体観測家の羽根田利夫さんだ。

利夫さんは、高齢になった母親を案じて故郷に戻り、浪江町の電気店に勤めるようになった。勤め先から帰ると敷地内の一角に一輪車で河原の石を運んで土台を組み、天体観測小屋を作った。そして毎晩のようにその観測所へ行って観測を続けていた。観測所へはいつも、愛犬コロがお供した。

1978年9月1日、その夜は曇っていて星の観測には向かない空だったが、愛犬のコロが外へ行きたくて鳴き続けるので、仕方なしに外へ出て観測所へ行った。空はやはりどんよりとしていたのだが、望遠鏡を回していると南方の一角にちょっとした晴れ間があり、そこを覗いてみると見慣れない星があった。その瞬間「彗星だ!」と、震える手で手帳に方角と時刻、星の大きさを書き込んだ。翌日の夜は前夜とは打って変わった晴天で、望遠鏡を覗くと昨夜の星が少し移動してはっきりとそこに見えた。興奮を抑えられぬまま夜を明かした利夫さんは、翌朝早くに郵便局に行き、メモ帳を見ながら天文台に電報を打った。

これはスミソニアン天文台が認めて世界中に発表され「ハネダ・カンポス彗星」と名付けられた。アフリカのカンポス氏がこの彗星を発見したとの報が一足早く流れたのだが、利夫さんの発見時刻がカンポス氏より9時間早かったことが判り、「ハネダ・カンポス彗星」と名付けられたのだ。

ニュースが流れると、一夜にして有名になった利夫さんのところへ取材が殺到した。利夫さん、69歳の誕生日目前のことだった。ヨシさんはたくさんの取材陣の接待に、手作りのごちそうを作って応じた。叔父さんへの何よりの恩返しだと思ってのことだった。NHKからテレビ出演の依頼があった時には、ヨシさんが付き添って上京した。また、利夫さんは取材や講演を受けながら、彗星発見までの記録を書いて読売新聞社のノンフィクション賞に応募したところ入賞した。読売新聞社での表彰式にも、ヨシさんは付き添った。

利夫さんは1992年、83歳で亡くなったが、ヨシさんは利夫叔父さんの功績と人柄を子孫に伝えたいと『星の彼方に夢を求めて』と題して書き起こし、冊子にした。ヨシさんは、書くことも好きで新聞にも度々投稿し何度か掲載されてもいる。「いいたて雪っ娘」の種を注文したのは雑誌の『家の光』を読んでのことだったが、読んで気になる記事があればすぐ行動に起こす。読むこと、書くことの他にも、長年続けているのが詩吟だ。毎週教室に通うが、避難先にいた時も、馬場の自宅にいる今も、畑のビニールハウスで練習をする。「野菜さん、聞いてくださいね」と言って、声を出すのだ。

前にも触れたが、ヨシさんから私は、苦労話を聞いたことがない。けれども利夫さんが告げたようにきっと、身を粉にして働く日々だったことだろう。雑木の山だったところにヒノキを植林していって県の林業コンクールで表彰されたことを聞かせてくれた時も、雑木を抜根して苗木を植えていく作業を思えばその労働はいかばかりかと私は思うが、大変な苦労は語らない。またカボチャ作りにしても畑の雑草を1本1本抜きカボチャの苗床を作って、腹巻きで温めた種を丁寧に植えて、収穫までも手抜きせず、収穫したカボチャは丁寧に拭いて箱詰めして出荷する。その手間を私は思うのだがヨシさんは、「馬場の畑では、300個も400個も収穫したの」と、弾む声で言うのだった。ヨシさんは利夫叔父さんを心から尊敬し慕っていただろうが、利夫さんもまた苦労を厭(いと)わないヨシさんをねぎらって、そしてまた好奇心旺盛で物怖じしない性格を、愛しく大事に思っていたことだろう。

エピローグ

かつて体験したことのなかった激震に見舞われた日から、9年が経つ。地震、津波に続いて起きた原発事故に、私自身が激しく揺さぶられたように思う。テレビ画面に釘付けになりながら、そしてまたインターネットで流れてくる情報を追いながら、「福島に行きたい」と思う私だった。それまで「私は原発には反対していた」と思っていたが、この時になって私は、自分の認識はごく浅いものだったと叩きのめされるような思いに打たれ、無知を恥じ、知ろうとしてこなかったことを後悔した。その後悔が私をボランティアへ向かわせた。

本文に書いたように福島には何の所縁もなかったが、たまたま知った「南相馬のビジネスホテル六角」を拠点にして、福島に通うようになった。この本に記したのは、集英社の『青春と読書』に2012年2月〜4月に「聞き書き南相馬」として、2012年7月〜2013年6月まで「聞き書き南相馬　第2部」として連載されたものと、また長野市の青草人が発行している雑誌『たぁくらたぁ』25号〜48号に掲載された文章を再構成したものだ。だが、ビジネスホテル六角に縁ができたのも、私にとっては「たまたま」のことであっても、決して偶然ではなかったことは後になって知った。

原発事故より以前に南相馬に産業廃棄物処理場建設計画が持ち上がった時に、その反対運動を起こし、運動のリーダーになったのがビジネスホテル六角の大留さんだった。『たぁくらたぁ』の初代編集長は環境科学者の故関口鉄夫さんだが、関口さんはこの産廃反対運動に支援者として関わっていた。３・11後に『たぁくらたぁ』取材班が岩手から南下して南相馬まで来た時に六角の前を通り、「あれ？　ここは知ってる所だ」と関口さんが気付いて、また繋がりが蘇ったというわけだった。私が産廃反対運動を通して六角と「たぁくらたぁ」が繋がっていたことを知ったのは、南相馬に通うようになってからのことだった。

ともあれ、こうして私はビジネスホテル六角を拠点にしての南相馬通いを始めたのだが、もしここに宿を取らなかったら、そして大留隆雄さんに出会わなかったら、また大留さんをリーダーにしての六角支援隊に関わらなかったら、これほど繁く通うようにはならなかったのではないかと思う。

初めてビジネスホテル六角を訪ね、「予約している渡辺ですが」と言った時、大留さんは「南相馬は初めて？　何しに来たの？」と言った。私が「ボランティアです」と言うと、まじまじと私を見て「ふ〜ん？」と言った。大留さんは口には出さなかったけれど、チビで白髪の私がそう言ったのに合点がいかなかったのだろう。それから大留さんに「仕事は何してるの？」と問われ、私は答えた。けれどその時の私には、ここでの体験を書くという意識はなかったし、取材のつもりもなかった。ただ、ただボランティアがしたい、ここで起きたことを知りたいという思いだけだった。

だが、その日から後、大留さんと一緒に支援物資を持って仮設住宅や誰かの家を訪ねると、大留さんは必ず「この人、東京から来たんだけど、あんたの話を聞かせてやって」と言って、その人に体験談を語らせ、私には「よく聞いておくといいよ」と言った。また時間があれば、そこかしこの被災の現場を案内してくれて、そこでどんなことがあったのかを話してくれた。私は現地を見、聞くうちに、それらを伝えなければと思うようになり、前述した2誌に書いてきた。ここに書いたのは、2011年8月から、2016年頃までのことだ。その後のことにも少し触れておきたい。

仮設住宅に隣接する試験田で育てたのは「天のつぶ」だったが、5反1畝の田んぼで60俵（60キログラム）の収穫があった。収穫後の測定では精米で16ベクレル、白飯で検出せずだった。私も分けてもらって食べたが、美味しい米だった。「天のつぶ」は、県内の農業者たちが資金を出し合って品種改良を重ねて作ってきた新しい品種で、茎が分蘖（ぶんけつ）しにくく倒れにくいのだという。福島産のブランド米として、これから大いに宣伝していこうとしていた時期に起きた原発事故だった。農業者たちの胸の内を思った。この翌年から田んぼを再開する農家も出てきて、今は飼料米としての水田も少なくはないが、稲穂が揺れる田んぼが増えてきた。

私は今も福島行を続けているが、六角支援隊は2015年3月に解散し、活動を閉じた。仮設住宅を退去する人たちが増えてきていて、支援物資配りや集会所でのイベント開催なども少なくなってきたからだ。だが解散後も大留さんは、「六角支援隊」を窓口としては残し、問い合わせや訪問には応じていた。私は、仮設にまだ残っている人がいる間は、訪問を続けていたが、2018年3月には、私が通った仮設住宅には知った人は居なくなった。皆それまでに退去して、新たな暮らしを始めていた。文中にある小池長沼、寺内塚合、小池第3、千倉など仮設住宅は2019年に取り壊された。

六角支援隊の荒川さんは仙台に家を建て、また息子家族と一緒の暮らしに戻った。

杉さん一家は、妻は仕事の関係もあってまだ新潟にいるので家族離れた暮らしだが、杉さんは酪農の仕事を続けている。現在は自宅の畜舎に41頭を飼い34頭から搾乳している。これとは他に北海道の牧場に預けている牛が8頭いる。末の息子が帯広の畜産大学で学んでいるが、杉さんの後を継ぐかどうか今はまだ判らない。いずれ本人が自分で道を決めるだろうが、いずれにしろ、お父さんの代から3代続けて酪農家の道を歩むのだろう。1代目のお父さんは7年前に亡くなったが、お父さんがここで酪農を始めたきっかけは、1950年代にアメリカが、東北地方の若い農業者たちを農業研修に招いたことがあり、お父さんもその一員だった。

2年ほどの滞在だったそうだが、そこで酪農を覚えてきて田畠を耕す農業から酪農に切り替えたのだという。

宮ちゃんもヨシさんも元気に過ごしている。黒沢さんも元気で、長男家族と暮らす自宅の庭を畑にして、季節の野菜を育てている。天野さんは仮設住宅を退去後の一時期は三女の一家と原町の新居で共に暮らしていたが、今は仙台の老人ホームで元気に過ごしている。近くに住む長女が、老母の様子を見に通っている。

上野さんは被災した家の隣に2013年に新しい家を建て、妻の貴保(きほ)さん、娘の倖吏生ちゃんと3人で暮らしている。思い出の詰まった元の家を壊したくなかったが、時期を逸すると被災家屋の解体費用補助が打ち切られるので、両親に申し訳ない思いを抱きながら解体した。そして平日はお父さんが残した農地と他の人から委託された農地の担い手として、30ヘクタール以上もの田畑を維持管理する農業者として働いている。委託された田畑も耕すのは、萱浜の田畑を荒地にしたくないからだ。10年後には、その農地を後継する人が出てくるかもしれないと思うからだ。上野さんはまた、休日は3・11後に立ち上げたボランティア組織「福興浜団」の活動にと、忙しい毎日を送っている。自宅の前の畑は菜の花迷路にして、毎年5月の連休にはたくさんの親子が訪ね楽しく歓声をあげていく。上野さんは萱浜を、笑顔が絶えない地域にしたいと願っているのだ。4月には4年生になる倖吏生ちゃんも、そんなお父さんが大好きだ。

丸森の太田さん夫妻は農業と自営業の味噌工房を続けながら、それとは別にNPO法人「そのつ森」を立ち上げ、旧筆甫中学校の校舎を活用して高齢者の通所介護施設と保育園を運営している。「子どもからお年寄りまで皆がふれあい支えあって暮らしていく」がモットーの「そのつ森」だ。昨年の19号台風では、丸森も大きな被害があったが、幸い施設には害はなかった。渡邉とみ子さんは「かーちゃんの力・プロジェクト」での活動と共に、被災前に飯舘村でやっていた食品加工製造販売の「までい工房美彩恋人」を再開して、活躍している。「いいたて雪っ娘」の美味しさも知れ渡ってきて、とみ子さんが作るかぼちゃのマドレーヌの評判も上々だ。

あれから9年が経つ現在、置かれている環境に馴染めずに心身を病んだ人もいる。亡くなった人も少なくない。

2016年に仮設住宅を退去して塙(はなわ)町の古民家に移り住んだ藤島昌治さんは、2019年夏に病を得て11月12日、帰らぬ人となった。藤島さんが提唱していたシェアハウスが実現していたらと悔やまれる。請願、陳情を繰り返し署名もたくさん集め、市議会でも超党派で採択されたのだが、実現には至らなかった。過ぎた日々に「もし」は禁句だろうが、もし実現できていたら、「寂しいな。喋る相手がいない」「ここにいるのは爺と婆だけ」という声もないだろうにと思う。独居だった志賀晴子さんは、自宅で倒れて２日目に近所の人が気づき病院に搬送され、命は助かったものの意識は戻らず寝たきりで数ヵ月後に亡くなったが、そんな事故も防げただろう。

未曾有の大震災と原発事故で我が家を離れ、数ヵ所の避難所を経た後で仮設住宅に入居した人たちは、「ああ、これで明日の寝る場所を案じなくて済む」とホッとしたという。だがその狭さと、隣家のおならやいびきの音も聞こえる、寒い、暑いなど造りの悪さに音をあげ、けれども狭い自室を出て集会所に行けば心を寄せ合える被災者仲間がいる。仮設住宅退去をどうするかが話題になっても「離れたくないね。ここでもいいからみんなで一緒にいたいね」と互いに言いあっていた人たちは、みんなチリジリバラバラになった。

避難前に一緒に暮らしていた子や孫と、また一緒に暮らせるようになったことを心から喜べる家族がいる一方で、離れて暮らす間に気持ちや暮らしぶりも変わって再び家族で共に暮らすようになった時にギクシャクしてしまう人たちもまた、少なからずいた。そうした話を聞くたびに、シェアハウス構想が実っていたなら、と思う私だった。

常磐線は２０１７年４月１日に小高駅と浪江駅間が再開した。双葉屋旅館で、その工事に携わるＪＲ東日本水戸支社の人と会ったことがあった。その時に、工事に関わる作業員たちの被ばく管理のご苦労を聞いた。再開後の浪江駅に行った時には、改札口の前に掲げられた路線表示図を写真に撮ったことがあった。浪江から下りの仙台方面、富岡から上りの上野方面は線で繋がっていながら、富岡―浪江間の富岡、夜ノ森、大野、双葉、浪江は駅名が書かれただけでその間は線で繋がっていない路線表示図だ。だがその区間もこの３月１４日には繋がり、〝めでたく〟常磐線全線再開となる。双葉屋旅館でＪＲの人が言っていた通り「何が何でもオリンピックまでに復興完了」だ。作業に当たった人たちの被ばくが案じられる。小高に織物工場や銀砂工場を設立した半谷清寿が、夜ノ森駅ホームの両側に植えた６０００株ものツツジは、花の時期には遠くからわざわざ見物に人々が訪れるほど見事だったそうだが、除染のために全て刈り払われ抜き取られた。

　原発事故に関して被災者たちから多くの裁判が起こされたが、その一つに「南相馬・避難２０ミリシーベルト基準撤回訴訟」がある。これは市内のいわゆるホットスポットと呼ばれる放射線量が高い特定避難勧奨地点に対して、２０１４年１２月に政府はそれらの地点の年間積算被ばく線量が２０ミリシーベルトを下回ったとして避難勧奨地点を解除し支援策や賠償を打ち切った。地点に指定されていた世帯や近隣の世帯合計８０８名が、解除の取り消しを求めて起こした裁判だ。原告らは公衆の被ばく限度が年間１ミリシーベルトを超えないことを確保すべき国の義務に反するとして訴えている。放射線管理区域で働く医療従事者でも３ヵ月で１・３

ミリシーベルト、年に換算すれば5・2ミリシーベルトなのに20ミリシーベルトで解除とはあまりにも理不尽で不当な国の姿勢だ。解除は避難先から放射線量の高い地域への帰還を強制、それが言い過ぎだというなら強要としか思えない。

南相馬に通いながら見えてきたのは、この地に暮らしてきた人たちが連綿と築いてきた庶民の歴史だった。そして例えば、私よりも若い荒川さんも子どもの頃には、学校から帰ると稲藁で牛や馬に履かせる藁履を作る手伝いをしたなど、東京と地方の暮らしの違いだった。現地でいろいろな話を聞くたびに、私は何と物を知らないまま大人になってきたのかという衝撃も感じた。また南相馬だけではなく飯舘村や浪江町も何度も訪ね東京や神奈川、埼玉に避難している人の話も聞かせて貰ってきた。そこには私が知らずにきてしまった歴史と暮らしがあった。

ここに載せた人たちからばかりでなく、他にも多くの人からさらにたくさんを聞かせてもらった。それらは私個人のメールマガジン「一枝通信」で発信してきたが、紙媒体には載せられずにきた。その誰もが、多くの人たちに知って欲しい生き方や暮らしをしてきていた。しかし、この本もそうだが「一枝通信」にしても、私が書いた文章は、私を通した言葉に過ぎない。当事者の体が発する言葉を直接聞いて欲しいと、私は2012年の春から不定期で、トークの会「福島の声を聞こう！」を企画し開いてきた。その会も34回を数えた。まだまだ続けたいと思っている。言葉は意味を表すが、声は思いを表すと考えるからだ。当事者の声を、多くの人が自分の耳で聞き、己が胸に直接響かせて欲しいと願っている。そして私自身も、もっと多くの人から話を聞きたい、その人たちにどんな時間が流れたのか知りたいと思っている。

あれから9年の月日が流れ、これから10年目に入る。しかし、2011年3月11日午後7時3分に政府が出した「原子力緊急事態宣言」は、まだ解除されておらず、発令中だ。新聞やテレビではきっと、この3月11日前後には「3・11」に関しての特集記事や番組が作られるのだろう。

つい先日訪ねた上野敬幸さんの言葉で、この本を閉めようと思う。

「もうじき3月が来るとテレビや新聞は、あれから9年なんて言い立てるでしょう。その日を騒ぎ立てるなんてバカみたいだ。その日だけ思い出したみたいに慰霊祭やるなんて、バカみたいだ。僕のところにも取材したいなんて言って来るのがいるけれど、絶対に出ないです。断ってます。もっと他の捉え方しろって言ってやるんです」。

2020年2月

渡辺一枝

渡辺一枝（わたなべ　いちえ）
1945年1月、ハルビンで生まれ翌年秋に母と共に日本に引き揚げる。
幼い頃に大人たちの会話で耳にした「蒙古」「チベット」「馬賊」の言葉に強く惹かれ、子供の頃のあだ名は「チベット」だった。1987年3月までの18年間、東京近郊の保育園、障害児施設で保育士を務め、退職の翌日に初めてのチベット行に出かけて、その後に作家活動に入る。初チベット行以来、チベットと西北ネパール・北インド・モンゴルなどチベット文化圏へ通い続けている。著書に『桜を恋う人』『時計のない保育園』（ともに情報センター出版局）『ハルビン回紀行』（朝日新聞）『チベットを馬で行く』（文春文庫）『私のチベット紀行』（集英社文庫）『私と同じ黒い目のひと～チベット・旅の絵本』（集英社）『小さい母さんと呼ばれて　チベット、私の故郷』（集英社）『叶うことならお百度参り　チベット聖山巡礼行』（文藝春秋）『消されゆくチベット』（集英社新書）『チベット　祈りの色相、暮らしの色彩』（新日本出版社）ほか。

聞き書き　南相馬

2020年3月11日　初　版

著　者　渡　辺　一　枝
発行者　田　所　稔

郵便番号　151-0051　東京都渋谷区千駄ヶ谷4-25-6
発行所　株式会社　新日本出版社
電話　03（3423）8402（営業）
03（3423）9323（編集）
info@shinnihon-net.co.jp
www.shinnihon-net.co.jp
振替番号　00130-0-13681

印刷　亨有堂印刷所　　製本　光陽メディア

落丁・乱丁がありましたらおとりかえいたします。

ISBN978-4-406-06437-8 C0095　Printed in Japan